KB171664

루미곰의
네덜란드어 영어 대조
여행회화, 단어

꿈그린 어학연구소

루미곰의
네덜란드어 영어 대조 여행회화, 단어

발 행 2024년 07월 15일
저 자 꿈그린 어학연구소
펴낸곳 꿈그린
E-mail kumgrin@gmail.com

ISBN 979 - 11 - 93488 - 22 - 5

루미곰의
네덜란드어 영어 대조
여행회화, 단어

머리말

이 책은 네덜란드어권 체류 시 필요한 단어와 회화를 상황 별로 정리한 네덜란드어 기초 여행 회화책입니다.

특히 여행 회화책이 필요한 상황에서 상황 별 필요 문장 습득뿐만 아니라 기초적인 문법과 필수 단어도 같이 익히고 싶으신 분들에게 이 책은 적격입니다.

이미 시중에 화란어 회화책이 나와 있는 상황에서 이 책이 기존 책들 과의 차별 점은 모든 네덜란드어 문장 및 단어의 영어 번역도 같이 소개했다는 점입니다.

이렇게 네덜란드어와 영어를 대조해 놓았기에 화란어와 영어가 쓰이는 네덜란드, 벨기에 및 유럽 여러 나라들에 체류하면서 기본적인 영어 및 네덜란드어 지식을 같이 얻고자 하는 독자에게도 이 책을 추천드릴 수 있습니다.

특히 이 책은 필수 여행 회화부터 기타 생활 속 표현을 중심으로 약 350 개의 중요 문장 표현과

500 개의 기초 단어를 테마 별로 정리하는데 중점을 두었습니다. 발음 규칙이나 문법 맛보기 설명에 있어서도 본문 문장을 이해하는데 필요한, 네덜란드어를 처음 접하는 분들이 당장에 알아야 할 아주 기초적인 내용만을 소개하는데 집중하였습니다.

화란어와 영어 회화 대조, 상황 별 네덜란드어 숙지 및 기본적인 문법 확인과 단어 공부를 모두 같이 할 수 있다는 점이 이 책의 매력입니다.

이 책을 통하여 많은 여행자들이 쉽게 네덜란드어를 익히고 네덜란드어권 여행에 재미를 더할 수 있기를 바랍니다.

2024 년 07 월
꿈그린 어학연구소

차 례

6

1. 알파벳

A a	[aː], [ɑ], [ɛɪ]	아
B b	[b]	베
C c	[k], [s]	세
D d	[d]	데
E e	[eː], [ɛ], [ə]	에
F f	[f]	에프
G g	[ɣ], [χ]	헤
H h	[ɦ]	하
I i	[i], [ɪ], [ə]	이
J j	[j]	예이
K k	[k]	까
L l	[l]	엘
M m	[m]	엠

N n	[n]	엔
O o	[o], [ɔ]	오
P p	[p]	뻬
Q q	[k]	퀴
R r	[r], [ɾ]	에르
S s	[s]	에스
T t	[t]	떼
U u	[y], [ʏ]	위
V v	[v], [f]	페이
W w	[ʋ] [β̞]	베이
X x	[ks]	익스
Y y	[ɛɪ], [ɪ], [iː], [j]	이그렉
IJ ij	[ɛɪ]	애이
Z z	[z]	제트

2. 발음 규칙

* 모음

모음 유형	네덜란드어	IPA	발음
장모음	aa	[aː]	아-
	ee	[eː]	에-
	oo	[oː]	오-
	uu	[yː]	위-
단모음	a	[ɑ]	아
	e	[ɛ]	에
	i	[ɪ]	이
	o	[ɔ]	오
	u	[ʏ]	우
이중모음	au/ou/auw/ouw	[ʌu], [ɑu]	아우
	ei / ij	[ɛɪ]	에이
	ui	[œy]	외위
	ae	[a]	아
	ie	[iː]	이
	eu	[øː]	외
	oe	[u]	우

aai	[aːi]	아이
oei	[uːi]	우이
ooi	[oːi]	오이
eeuw	[eːy]	에위
ieuw	[iːy]	이위
uw	[yːw], [yː]	위, 위우

* 자음

b [b], [p]:모음, l, r 앞에서는 [b], 단어 끝을 비롯한 이 외의 경우에는 [p] 발음합니다.

　예) bij [bɛi] (꿀벌), bril [brɪl] (안경), blijven [ˈblɛivə(n)] (머무르다) / heb [hɛp] (가지다), web [ʋɛp] (거미줄)

c [k], [s]: 자음 앞 및 a, o, u 에서는 [k], e, i, ij, y 앞에서는 [s]로 발음합니다.

　예) crisis [ˈkriː.zɪs] (위기), cursus [ˈkʏr.sʏs] (강좌), concert [kɔnˈsɛrt] (콘서트) / cent [sɛnt] (센트), cinema [ˈsi.ne.maː] (영화관), cijfer [ˈsɛi.fər] (수치), cyclus [ˈsi.klʏs] (주기)

ch [x]: 무성음 'ㅎ'소리. 가래 끓는 듯한 소리로

sch와 유사합니다.

예) lach [lɑx] (웃다), licht [lɪxt] (빛)

d [d], [t]: 모음 및 r, w 앞에서는 [d]로 발음, 단어 끝을 비롯한 이 외의 경우에는 [t]로 발음합니다.

예) dag [dɑx] (하루), droom [drom] (꿈), dwalen [dʊaːlən] (헤매다) / goed [ɣut] (좋은), vriend [vrint] (친구)

f [f]: 무성음으로 'ㅍ'발음입니다.

g [ɣ] ([x]): 특히 모음 앞에서는 유성음으로서 [ɣ] 발음이 됩니다. 점점 구분없이 무성음 'ㅎ'의 [x] 와 비슷하게 발음하는 추세입니다.

예) groot [ɣroːt] (크다), genieten [ɣəˈnitə(n)] (즐기다), goud [ɣʌut] (금)

h [h]: 한숨 쉬듯 목 뒤에서 나는 'ㅎ' 발음입니다.

j [j]: 영어 'yes'의 y와 비슷한 '이'발음이나, 외래 어에서는 '즈'발음이 납니다.

예) jaar [jaːr] (년), jij [jɛi] (너) / jazz [jɛz] (재즈)

k [k]: 힘을 뺀 약한 'ㄲ'발음입니다.

13

l [l]: lm, lk처럼 자음끼리 있을 때는 이 사이에 ə
를 넣어서 발음합니다. lj 는 [ʎ] 발음이 됩니다.

예) helm [ˈhɛləm] (헬멧), melk [ˈmɛlək] (우유) / miljoen
[mɪlˈʎun] (백만)

n [n]: 뒷자음의 영향을 받습니다. ng는 영어의 ing
와 같은 [ŋ], nk는 [ŋk], nj는 [ɲ], nb는 [mb]

예) lang [lɑŋ] (긴) / bank [bɑŋk] (은행) / spanje [ˈspɑɲə]
(스페인) / aanbieden [ˈaːmbidə(n)] (제안하다)

p [p]: 힘을 뺀 약한 'ㅃ'발음입니다.

qu/kw [kʊ]: '크ㅂ'에 가까운 소리로, q(u)는 소수
의 외래어에서 쓰이고 보통은 kw가 쓰입니다.

예) quote [kʊotə] (인용-), quiz [kʊis] (퀴즈) / kwart [kʊɑrt]
(4분의 1), kwitantie [kʊiˈtɑnsi] (영수증)

r [r]: 약한 혀 떠는 소리입니다. rk, rg, rm처럼 자
음끼리 있을 때는 이 사이에 ə를 넣어서 발음합
니다

예) rood [roːt] (빨간) / regen [ˈreːɣə(n)] (비) / park [ˈpɑrək]
(공원) / berg [ˈbɛrəɣ] (산) / arm [ˈɑrəm] (팔)

s [s]: 보통은 [s]이나, 일부 외래어에서는 [z]로 발음되기도 합니다.

　예) slaap [slap] (잠), sterk [stɛrk] (강한) / fusion [ˈfy.zɔn] (융합)

sj [ʃ]: 영어 'ship'의 'sh'와 비슷한 발음입니다.

sch [sx]: s와 ch 결합으로 '스ㅎ'로 발음됩니다. 참고로 isch는 '-이스'처럼 발음합니다. (-ische: [이세])

　예) school [sxoːl] (학교), schaap [sxaːp] (양) / typisch [ˈtipis] (전형적인), logisch [ˈloːxis] (논리적인) / historische [ɦiisˈtoːrisə] (역사적인) / technische [ˈtɛxnɪsə] (기술적인)

t [t]: 힘을 뺀 약한 ㄸ발음. th는 외래어에서 자주 쓰입니다.

　예) tijd [tɛit] (시간) / theater [teˈaːtər] (극장), therapie [teːraˈpi] (치료)

tj [tʃ]: 'ㅉ'비슷한 발음입니다.

　예) tja [tʃaː] (그럼, 그래서), tjilpen [ˈtʃɪlpə(n)] (지저귀다)

ts [ts]: 영어 'ts'와 비슷한 '츠'발음입니다.

v [v]: 약한 유성음으로 '브'. 어두에선 무성의 f에 가깝게 발음합니다.

예) vier [viːr] (4), ver [vɛr] (멀리) / vrouw [frou] (여자)

w [ʋ]: 영어의 'w'와 'v'의 중간발음으로 네덜란드에서는 '브'에 더 가깝게 발음합니다.

예) wit [ʋɪt] (흰색), water [ˈʋaːtər] (물)

x/ks [ks]: 보통 외래어로, ks도 같은 발음입니다.

예) taxi [ˈtɑksi] (택시) / eksport [ɛksˈpɔrt] (수출)

3. 철자법

개음절(開音節)이란 모음으로 끝나는 음절을, 폐음절(閉音節)이란 자음으로 끝나는 음절을 말합니다.

단모음은 자음으로 끝나는 폐음절에서만 나타납니다. 즉, 단모음으로 발음되는 경우는 '자음+단모음(a,e,i,o,u)+단자음/이중·쌍자음'의 한 음절입니다. 하지만 이 음절에 어미 등 새로운 음절이 붙을 때에는 원래 단모음 발음 임을 알 수 있도록 이 끝에 자음을 반복해 줍니다.

예) kat + -en (복수형 어미) → katten (고양이들)
  man + -en (복수형 어미) → mannen (남자들)

애초에 복자음인 단어는 어미만 붙입니다.

예) klant + -en (복수형 어미) → klanten (고객들)
  kind + -eren (복수형 어미) → kinderen (아이들)

반대로 장모음의 경우, a,e,o,u 모음 1개로 끝나는 단어도 개음절이기 때문에 장모음임을 잊지 마세요. 물론 폐음절 앞 이중 a,e,o,u도 장모음입니다.
  예) na (~후에): 장모음 / naam(이름): 장모음

단, 원래는 모음 2개의 음절일지라도 다른 음절이 붙을 때에는 모음을 한 개로 철자합니다. 예를 들어 위 naam에 복수형 어미 en이 붙으면 namen이 되며, na-는 여전히 장모음입니다. 이를 통해 단어가 복수형으로 변할 때 장모음이 유지되면서 철자가 간소화 됩니다.

예) boom (나무): b<u>oo</u>m (단수형) → bomen (복수형)

　　school (학교): sch<u>oo</u>l (단수형) → scholen (복수형)

예외) zee (바다): z<u>ee</u> (단수형) → zeeën (복수형)

또한 'f와 's'로 끝나는 단어들은 어미가 붙을 때
각각 'v'와 'z'로 변합니다.

예) duif (비둘기): duif + -en (복수형 어미) → duiven (비둘
기들)

　glaas (잔): glaas +-en (복수형 어미) → glazen (잔들)

　wolf (늑대): wolf +-en (복수형 어미) → wolven (늑대들)

　huis (집): huis + -en (복수형 어미) → huizen (집들)

단, 단모음 뒤에 'f와 's'가 있을 때, 어미가 붙으
면 이 자음들은 v, z로 변하지 않고 그대로 중복
됩니다.

예) bus (버스): bus + -en (복수형 어미) → bussen (버스들)

　jas (재킷): jas + -en (복수형 어미) → jassen (재킷들)

　les (수업): les + -en (복수형 어미) → lessen (수업들)

　prof (교수): prof + -en (복수형 어미) → proffen (교수들)

Yes.

Ja. [야]

네.

No.

Nee. [네-]

아니요.

I want…

Ik wil … [익 빌]

~원해요.

I would like to....

Ik wil graag... [익 빌 흐락...]

~하고 싶어요.

Do you have....?

Heeft u...?　　　[헵트 유]

~있으세요?

I need…

Ik heb … nodig. [익 헵 … 노디ㅎ]

~필요해요.

Can I...?

Kan ik...?　　　[칸 익]

~해도 돼요?

Can you ...?

Kunt u...?

[쿤트 우]

~할 수 있어요?

Do you know ...?

Weet u...?

[벳 우]

~아세요?

I do not know.

Ik weet het niet.

[익 벳 헷 니잇]

몰라요.

01

인 사

Hello!

Hallo! [할로]

안녕하세요.

Good morning!

Goedemorgen! [후더모헨]

안녕하세요. (아침)

Good afternoon!

Goedemiddag! [후더미다흐]

안녕하세요. (낮)

Good evening!

Goedenavond! [후더아본트]

안녕하세요. (저녁)

Good night!

Goedenacht! [후더나흐트]

좋은 밤 되세요. (밤)

Bye!

Dag! / Doei! [다흐 / 두이]

안녕! (헤어질 때)

See you!

Tot ziens! [톳 진스]

다음에 봐요.

Sleep well!

Slaap lekker!   [슬라프 레커]

잘 자요.

Happy Birthday!

Gefeliciteerd met je verjaardag!

[허펠리시떼르트 멧 여 페이야다흐]

생일 축하합니다.

Merry Christmas!

Vrolijk Kerstfeest! [프롤레익 켈스트페스트]

즐거운 성탄절 되세요.

Happy new year!

Gelukkig nieuwjaar!   [헐뤼키흐 뉴야르]

새해 복 많이 받으세요.

문법 맛보기

<주격 인칭대명사>

	단수	복수
1 인칭	ik(나)	wij (we) (우리)
2 인칭	jij (je) (너) u (당신)	jillie (너희들) u (당신들)
3 인칭	hij (그) zij /ze (그녀) het (그것)	zij (ze) (그들)

*괄호 안의 인칭대명사는 비강세형

<의문사>

누가	Wie
언제	Wanneer
어디서	Waar
무엇을	Wat
어떻게	Hoe
왜	Waarom
어느(쪽)	Welk(e)*

* 중성 단수 명사와 쓰일 경우 welk를 쓰고 그 외의 경우는 welke를 쓴다

02

안 부

Long time no see.

Lang niet gezien.   [랑 니트 흐진]

오랜만입니다.

How are you?

Hoe gaat het?   [후 핫 헷]

잘 지내요?

How's it going?

Hoe gaat het met jou?

[후 핫 헷 멧 야우]

어떻게 지내요?

I am doing well. How about you?

Het gaat goed met mij. En met jou?

[헷 하트 훗 멧 메이. 엔 멧 야우]

잘 지내요. 당신은 어떠세요?

Good, thanks.

Goed, dank je. [훗, 당크 예]

좋아요, 고마워요.

And you?

En jij? [엔 야이]

당신은요?

Not bad.

Niet slecht.   [니트 슬레흐트]

나쁘지 않아요.

Not so good.

Niet zo goed.   [니트 조 훗]

아주 좋지는 않아요.

I am sorry to hear that.

Het spijt me dat te horen.

[헷 스파잇 므 닷 트 호런]

그런 말을 듣게 되어 유감입니다.

문법 맛보기

1. 부정관사 een: 부정관사는 een 하나로 명사가 특정되지 않은 상황에서 사용됩니다.

　예: een man (한 남자), een vrouw (한 여자),
　　　een huis (한 집)

2. 정관사 de/het: 정관사 het은 중성단수명사에서, de는 통성 명사 및 모든 복수형 명사에 사용됩니다.

　예: de man (그 남자), de vrouw (그 여자), de kinderen
　　　(그 아이들) / het boek (그 책), het huis (그 집)

---

03 자기소개

Nice to meet you!

Leuk je te ontmoeten!

[럭 여 트 온무튼]

I am happy to meet you.

Ik ben blij je te ontmoeten.

[익 벤 블라이 여 트 온무튼]

만나서 반갑습니다.

What's your name?

Hoe heet u? / Wat is je naam?

[후 헤이트 유 / 밧 이스 여 남]

당신의 이름은 무엇입니까?

My name is…

Ik heet … / Mijn naam is …

[익 헤잇... / 마인 남 이스...]

제 이름은 ~ 입니다.

What do you do for a living?

Wat doe je voor werk?

[밧 두 여 포 베엑]

직업이 무엇이죠?

I am...

Ik ben …

[익 벤..]

저는 ~ 입니다.

How old are you?

Hoe oud bent u? [후 아웃 벤 여]

몇 살이세요?

I am ... years old.

Ik ben ... jaar oud. [익 벤 ... 야 아웃]

~살 입니다.

Are you married?

Ben je getrouwd? [벤 예 흐트라우트]

기혼 이신가요?

I am single.

Ik ben vrijgezel. [익 벤 프라이허젤]

저는 미혼입니다.

< 사람 관련 단어 >

person	De persoon	사람
man	De man	남자
woman	De vrouw	여자
girl	Het meisje	소녀
boy	De jongen	소년
twin	De tweeling	쌍둥이
infant	De baby	유아
children	De kinderen	어린이
adult	De volwassene	어른
miss	De juffrouw	미스
mister	De meneer	미스터
colleague	De collega	동료
family	De familie	가족
parents	De ouders	부모님
father	De vader	아버지
mother	De moeder	어머니
neighbour	De buurman / De buurvrouw	이웃(남/녀)
son	De zoon	아들
daughter	De dochter	딸
husband	De echtgenoot	남편
wife	De echtgenote	아내

couple	**Het koppel**	부부
sister	**De zus**	자매
brother	**De broer**	형제
grandmother	**De grootmoeder / De oma**	할머니
grandfather	**De grootvader / De opa**	할아버지
grandchild	**Het kleinkind**	손주
cousin	**De neef / nicht**	사촌 (남/녀)
relative	**De verwant**	친척
boyfriend	**De vriend**	남자 친구
girlfriend	**De vriendin**	여자 친구
uncle	**De oom**	삼촌
aunt	**De tante**	이모, 고모

*네덜란드어에서는 모든 단어가 통성과 중성으로 나뉩니다. 이 책에서는 각 단어 앞에 해당 정관사 "de"와 "het"를 넣어서 단어의 성별을 나타내도록 하겠습니다. 복수형에서는 통성 및 중성 모두 정관사는 "de"입니다. 즉 het이 정관사로 쓰이는 경우는 중성명사 단수뿐입니다.

04　사　과

Sorry!

Sorry! [소리]

미안합니다.

I am sorry.

Het spijt me.　　[헷 스파잇 므]

죄송합니다.

I am very sorry.

Het spijt me zeer.

[헷 스파잇 므 지얼]

정말 죄송합니다.

It is okay.

Het is goed. [헷 이스 훗]

괜찮아요.

Am I bothering you?

Stoor ik je? [스토르 익 여]

제가 방해 했나요?

Don't worry.

Maak je geen zorgen.

[마크 여 헨 조르헌]

걱정 마세요.

Never mind.

Laat maar. [라트 마르]

괜찮아요.

I feel sorry for you.

Ik voel me slecht voor jou.

[익 불 므 슬레흐트 포 야우]

유감입니다.

문법 맛보기

인칭대명사의 주격, 소유격, 목적격은 아래와 같습니다.
슬래시 오른쪽은 비강세형으로 줄임말에 해당합니다.

인칭	주격	소유격	목적격
나	ik / 'k	mijn / m'n	mij / me
너	jij / je	jouw / je	jou / je
당신(들)	u	uw	u
그	hij / ie	zijn / z'n	hem /'m
그녀	zij / ze	haar / d'r	haar / 'r, d'r
그것	het /'t	zijn / z'n	het /'t
우리	wij / we	ons	ons
너희	jullie/ je	jullie/ je	jullie/ je
그들	zij / ze	hun	hun, hen / ze*

* hun (그들에게), hen (그들을) / ze (직,간접 둘다 가능)

05

감 사

Congratulations!

Gefeliciteerd! [허펠리시띠얼드]

축하해요.

Thank you!

Dank je! [당크 여]

고마워요.

Thank you for the help.

Bedankt voor de hulp.

[버당크트 포르 더 훌프]

도와주셔서 감사합니다.

Thank you so much!

Dank je wel!   [당크 여 벨]

Heel erg bedankt! [헬 에르흐 버당크트]

정말 감사합니다.

You are very kind.

U bent erg vriendelijk!

[유 벤트 에르흐 프린들레익]

너무 친절하십니다.

You are welcome!

Graag gedaan!

[흐라흐 흐다안]

천만에요.

It was nothing.

Het was niets. [헷 바스 니츠]

Geen dank! [헨 당크]

별것 아닙니다.

No problem!

Geen probleem. [헨 프로블레임]

뭘요, 문제없어요.

My pleasure.

Met plezier.

[멧 플러지어]

(도움이 되어) 기쁩니다.

06

부 탁

Excuse me, could you help me?

Excuseer me.

[엑스큐제얼 므]

Kunt u me helpen?

[쿤트 유 므 헬픈]

실례합니다. 저 좀 도와주실 수 있으세요?

Can I ask you something?

Mag ik iets vragen?

[마흐 익 이츠 프라흐]

뭐 좀 여쭤봐도 되나요?

Of course!

Natuurlijk!   [나투를릭]

네 물론이죠.

Can I take this?

Mag ik dit meenemen?

[마흐 익 딧 메네먼]

이것을 가져도 되나요?

Sure, go ahead.

Natuurlijk, ga je gang. [나투를릭, 하 여 항]

그러세요.

Let me help you.

Laat me je helpen. [라트 므 여 헬픈]

제가 도와드릴게요.

Yes, how can I help you?

Ja, hoe kan ik je helpen?

[야, 후 칸 익 여 헬픈]

네, 무엇을 도와드릴까요?

No, sorry.

Nee, sorry.

[네, 소리]

아뇨, 죄송해요.

No, I do not have time now.

Nee, ik heb nu geen tijd.

[네, 익 헵 뉴 헨 테트]

아뇨, 지금 시간이 없어요.

Wait a minute, please.

Wacht even, alsjeblieft.

[바흐트 에븐, 알슈블리프트]

잠시만요.

OK.

Oké.   [오케]

좋습니다.

Perhaps.

Misschien.   [미스힌]

아마도요.

07

날 짜, 시 간

What day is it today?

Welke dag is het vandaag?

[벨커 다흐 이스 헷 판다흐]

오늘은 무슨 요일이죠?

Today is Tuesday.

Vandaag is het dinsdag.

[판다흐 이스 헷 딘스다흐]

오늘은 화요일입니다.

What's the date today?

Wat is de datum vandaag?

[왓 이스 더 다툼 판다흐]

오늘은 며칠입니까?

Today is March 9th.

Vandaag is het 9 maart.

[판다흐 이스 헷 네헨 마르트]

오늘은 3 월 9 일입니다.

What time is it?

Hoe laat is het?

[후 라트 이스 헷]

지금은 몇 시입니까?

It is five <u>past</u> four. (4:05)

Het is vijf <u>over</u> vier.

[헷 이스 피프 오버 피어]

4 시 5 분입니다.

*4시하고도 5분이 지났다(over)는 표현입니다.

It is ten <u>past</u> four. (4:10)

Het is tien <u>over</u> vier.

[헷 이스 틴 오버 피어]

4 시 10 분입니다.

*4시하고도 10분이 지났다(over)고 표현합니다.

It is a quarter <u>past</u> four. (4:15)

Het is kwart <u>over</u> vier.

[헷 이스 크밧 오버 피어]

4 시 15 분입니다.

*4시하고도 15분(kwart=1/4)이 지났다(over).

It is a twenty <u>past</u> four. (4:20)

(=Het is twintig <u>over</u> vier.)

Het is tien voor half vijf.

[헷 이스 틴 포어 할 피프]

4 시 20 분입니다.

* half vijf 는 4:30 분을 나타냅니다. 30 분보다 10 분 전(voor)임을 의미합니다. 물론 영어 직역처럼 4 시 하고도 20 분이 지났다고도 할 수 있습니다.

It is 4:25.

Het is vijf voor half vijf.

[헷 이스 피프 포어 할 피프]

4 시 25 분입니다.

*30 분보다 5 분 전(voor)임을 의미합니다.

It is a half past four.　(4:30)

Het is half vijf.　[헷 이스 할 피프]

4 시 30 분입니다.

*영어에서는 '4시반'을 4시의 반이 지났다(half past 4)고
표현하지만 화란어에서는 5시되기까지 반(half)이 남았
다는 뜻에서 half 5라고 표현하는 큰 차이가 있습니다.
즉 30분은 half + '현 시간+1'로 표현해야 합니다.

It is 4:35.

Het is vijf over half vijf.

[헷 이스 피프 오버 할 피프]

4 시 35 분입니다.

* 4:30에서 5분이 지났다(over).
　4:40분도 마찬가지로 4:30에서 10분이 지났다(over).

It is 4:40.

Het is tien <u>over</u> half vijf.

[헷 이스 틴 오버 할 피프]

4시 40분입니다.

It is a quarter to five. (4:45)

Het is kwart voor vijf.

[헷 이스 크밧 포어 피프]

4시 45분입니다.

* 5시 되기까지 15분(kwart=1/4) 전(voor)

It is ten to five. (4:50)

Het is tien voor vijf.

[헷 이스 틴 포어 피프]

4시 50분입니다.

* 5시 되기까지 10분 전(voor)

It is five to five. (4:55)

Het is vijf voor vijf. [헷 이스 피프 포어 피프]

4시 55분입니다.

< 숫자 >

	기수	서수
1	een /één	eerste
2	twee	tweede
3	drie	derde
4	vier	vierde
5	vijf	vijfde
6	zes	zesde
7	zeven	zevende
8	acht	achtste
9	negen	negende
10	tien	tiende
11	elf	elfde
12	twaalf	twaalfde
13	dertien	dertiende
14	veertien	veertiende
15	vijftien	vijftiende
16	zestien	zestiende
17	zeventien	zeventiende
18	achttien	achttiende
19	negentien	negentiende
20	twintig	twintigste
21	eenentwintig*	eenentwintigste
22	tweeëntwintig	tweeëntwintigste
	…	…
10	tien	tiende

20	twintig	twintigste
30	dertig	dertigste
40	veertig	veertigste
50	vijftig	vijftigste
60	zestig	zestigste
70	zeventig	zeventigste
80	tachtig	tachtigste
90	negentig	negentigste
100	honderd	honderdste
1000	duizend	duizendste

* 네덜란드어에서는 21 이상의 숫자들을 읽을 때, '일 의 자리 en(그리고) 십의 자리'순으로 읽습니다. 22의 ë 은 trema라 하여 twee 와 en을 구분하여 각각 발음해 야 함을 나타냅니다.

< 월 >

January	**Januari**	1 월
February	**Februari**	2 월
March	**Maart**	3 월
April	**April**	4 월
May	**Mei**	5 월
June	**Juni**	6 월
July	**Juli**	7 월
August	**Augustus**	8 월
September	**September**	9 월
October	**Oktober**	10 월
November	**November**	11 월
December	**December**	12 월

< 요일 >

Monday	**Maandag**	월요일
Tuesday	**Dinsdag**	화요일
Wednesday	**Woensdag**	수요일
Thursday	**Donderdag**	목요일
Friday	**Vrijdag**	금요일
Saturday	**Zaterdag**	토요일
Sunday	**Zondag**	일요일

< 날, 시간 관련 >

the day before yesterday	**Eergisteren**	그저께
yesterday	**Gisteren**	어제
today	**Vandaag**	오늘
tomorrow	**Morgen**	내일
the day after tomorrow	**Overmorgen**	모레
weekday	**De weekdag**	평일
weekend	**Het weekend**	주말
day	**De dag**	날
week	**De week**	주
month	**De maand**	달
year	**Het jaar**	년
second	**De seconde**	초
minute	**De minuut**	분
time	**De tijd**	시간

08 출 신

Where are you from?

Waar kom je vandaan? [바르 콤 여 판다안]

어디 출신이십니까?

I am from Korea.

Ik kom uit Korea.

[익 콤 아웃 코레아]

한국에서 왔습니다.

What brings you here?

Wat brengt je hier? [밧 브렝트 여 히어]

어떻게 여기에 오게 되셨나요?

I study / work here.

Ik studeer / werk hier.

[익 스튜디어 / 베륵 히어]

저 여기서 공부 / 일해요.

I am Korean.

Ik ben Koreaan(se).

[익 벤 코레안스/세(여성)]

저는 한국 사람입니다.

I am originally from Busan.

Ik kom oorspronkelijk uit Busan.

[익 콤 오어스프렁클릭 아웃 부산]

제 출신지는 부산입니다.

Which city do you live in?

In welke stad woon je?

[인 벨커 스타트 본 여]

어느 도시에서 사세요?

I live in Seoul.

Ik woon in Seoul. [익 본 인 서울]

서울에서 살아요.

문법 맛보기

형용사가 수식적으로 사용될 때 보통 형용사에는 어미-e 가 붙습니다. 정관사가 붙는 경우는 '정관사(de/het) + 형용 사e + 명사'의 형태가 됩니다.

단 부정관사(een)와 중성 단수 사이의 형용사에는 -e를 붙이지 않습니다. 또한 형용사 술어적 용법으로 쓰인 경 우, 단수형 중성 명사 앞에 무관사일 때 에도 -e를 붙이지 않는 등 이 외에도 몇가지 예외가 있습니다.

붙이는 경우: de <u>grote</u> man: the big man
안붙이는 경우: (een) <u>groot</u> huis: (a) big house
　　　　　　Het huis is <u>groot</u>.: the house is big.

< 국명 >

	나라	남자	여자
스웨덴	**Zweden**	de Zweed	de Zweedse
핀란드	**Finland**	de Fin	de Finse
덴마크	**Denemarken**	de Deen	de Deense
노르웨이	**Noorwegen**	de Noor	de Noorse
미국	**Amerika / De Verenigde Staten**	de Amerikaan	de Amerikaanse
오스트리아	**Oostenrijk**	de Oostenrijker	de Oostenrijkse
스위스	**Zwitserland**	de Zwitser	de Zwitserse
영국	**Engeland**	de Engelsman	de Engelse
독일	**Duitsland**	de Duitser	de Duitse
프랑스	**Frankrijk**	de Fransman	de Française
스페인	**Spanje**	de Spanjaard	de Spaanse
이탈리아	**Italië**	de Italiaan	de Italiaanse
한국	**Korea**	de Koreaan	de Koreaanse
일본	**Japan**	de Japanner	de Japanse
중국	**China**	de Chinees	de Chinese
네덜란드	**Nederland**	de Nederlander	de Nederlandse
멕시코	**Mexico**	de Mexicaan	de Mexicaanse

Do you speak …?

Spreekt u...?   [스프레익트 유...]

~어를 하시나요?

I speak a little...

Ik spreek een beetje...

[익 스프레익 언 벨혀...]

~어를 조금 합니다.

I do not speak....

Ik spreek niet.... [익 스프레익 니트...]

~어를 못합니다.

Does anyone here speak ...

Spreekt hier iemand...

[스프레익트 히르 이만...]

~(어)를 하시는 분 계시나요?

What .... is in English?

Wat is .... in het Engels?

[밧 이스 .... 인 헷 엥흘스]

~은 영어로 뭐예요?

How do you say that in Dutch?

Hoe zeg je dat in het Nederlands?

[후 젝 여 닷 인 헷 네이더란츠]

그것은 네덜란드어로 어떻게 말해요?

How do you pronounce that?

Hoe spreek je dat uit?

[후 스프레익 여 닷 아웃]

이것은 어떻게 발음해요?

What does this mean?

Wat betekent dit?

[밧 버테이컨트 딧]

이것은 무슨 뜻이죠?

Do you understand me?

Begrijpt u mij?

[버흐렙트 유 마이]

제 말을 이해 하셨나요?

I do not understand.

Ik begrijp het niet.

[익 버흐렙 헷 니트]

이해하지 못했어요.

I understand that.

Ik begrijp het.

[익 버흐렙 헷]

이해는 합니다.

Could you speak a little slower?

Kunt u langzaam spreken?

[쿤트 유 랑잠 스프레큰]

천천히 말해 줄 수 있나요?

Could you repeat that?

Kunt u dat herhalen?

[쿤트 유 닷 헤르할런]

다시 말해 주실 수 있으세요?

Could you write it down?

Kunt u dat opschrijven?

[쿤트 유 닷 옵스흐레이븐]

써주실 수 있으세요?

Could you spell that for me?

Kunt u dat voor mij spellen?

[쿤트 유 닷 포르 마이 스펠런]

철자를 알려주실 수 있으세요?

< 언어 >

Swedish	**het Zweeds**	스웨덴어
Finnish	**het Fins**	핀란드어
Danish	**het Deens**	덴마크어
Norwegian	**het Noors**	노르웨이어
English	**het Engels**	영어
German	**het Duits**	독일어
French	**het Frans**	프랑스어
Spanish	**het Spaans**	스페인어
Italian	**het Italiaans**	이탈리아어
Korean	**het Koreaans**	한국어
Japanese	**het Japans**	일본어
Chinese	**het Chinees**	중국어
Dutch	**het Nederlands**	네덜란드어

10

의 견

What do you think?

Wat denk je?   [밧 댕크 여]

Wat vindt u? (격식) [밧 핀트 유]

뭐라고 생각하세요?

What's going on?

Wat is er aan de hand?

[밧 이스 에르 안 더 한트]

무슨 일이죠?

I think that…

Ik denk dat...   [익 댕크 닷...]

~라고 생각합니다.

What do you prefer?

Wat heb je liever?

[왓 헵 여 리버]

Wat heeft u liever? (격식)

[왓 헵트 유 리버]

뭐가 좋으세요?

I like it.

Ik vind het leuk.   [익 핀트 헷 러크]

그거 마음에 들어요.

I do not like it.

Ik vind het niet leuk.

[익 핀트 헷 니트 러크]

그거 마음에 안 들어요.

I like / hate to do that.

Ik vind het leuk om dat te doen. /

[익 핀트 헷 러크 헷 옴 닷 트 둔]

Ik haat het om dat te doen.

[익 하트 헷 옴 닷 트 둔]

그것을 하기 좋아합니다. /싫어합니다.

I am happy.

Ik ben blij.

[익 벤 블레이]

기쁩니다.

I am not happy.

Ik ben niet blij. [익 벤 니트 블레이]

기쁘지 않습니다.

I am not in a good mood.

Ik ben niet in een goede bui.

[익 벤 니트 인 언 후더 뵈위]

기분이 좋지 않습니다.

I am interested in…

Ik ben geïnteresseerd in...

[익 벤 헨터레시어트 인...]

~에 흥미가 있습니다.

I am not interested.

Ik ben niet geïnteresseerd.

[익 벤 니트 헨터레시어트]

흥미 없습니다.

I am bored.

Ik verveel me.   [익 퍼페일 므]

지루합니다.

It does not matter.

Het maakt niet uit. [헷 마크트 니트 아웃]

상관없어요.

Really?

Werkelijk?   [베어클룩]

정말요?

I've had enough.

Ik heb er genoeg van.

[익 헵 에르 허노흐 판]

이제 충분합니다.

Great! / Wonderful!

Geweldig! / Prachtig!

[허벨더흐 / 프라흐티흐]

좋아요. / 멋져요.

What a pity!

Wat jammer!   [밧 야머르]

안타깝습니다.

문법 맛보기

명령문 만드는 법은 기본적으로 2인칭 주어를 생략하고, 어간을 그대로 사용해주면 됩니다. 분리 동사의 경우 분리 전철이 문장 끝으로 가며, 부정 명령형은 뒤에 niet를 붙입니다.

예: lopen (걷다) → Loop! (걸어라!)
불규칙: zijn → Wees! (되어라!)

존칭 u 명령문: 2인칭 존칭형(어간+t) 다음 u를 추가합니다.
　　보통 영어의 please에 해당하는 alstublieft를 같이 써줍니다.

예: lopen (걷다) → Loopt u! (걸으세요!)
불규칙: zijn → Weest u! (되세요!)

11

전 화

Is this...?

Spreek ik met...?   [스프릭 잇 멧....]

~이신가요?

Hello, this is ...

Hallo, u spreekt met..[하로 유 스프릭 멧..]

~입니다.

Can I speak to...?

Kan ik spreken met...?

[칸 익 스프레큰 멧...]

~랑 통화할 수 있나요?

I'd like to speak to..

Ik wil graag spreken met….

[익 빌 흐라흐크 스프레큰 멧...]

~랑 통화하고 싶습니다.

Who am I speaking to?

Met wie spreek ik?

[멧 비 스프렉 익]

누구시죠?

You have the wrong number.

U heeft het verkeerde nummer.

[유 헤프트 헷 퍼케더 누머]

잘못된 번호로 거셨습니다.

The line is busy.

De lijn is bezet.

[더 레인 이스 버젯]

통화 중입니다.

He is not here right now.

Hij is er nu niet.

[하이 이스 에 누 니잇]

그는 지금 자리에 없습니다.

Could you let her know I called?

Kunt u haar laten weten dat ik gebeld heb?

[쿤트 유 하르 라튼 베이튼 닷 익 허벨트 헵]

그녀에게 제가 전화했다고 전해 주실래요?

Could you ask him/her to call me back?

Wilt u vragen of hij/zij me terugbelt?

[빌 유 프라헌 옵 헤이/제이 므 트루흐벨]

그/그녀에게 다시 제게 전화해 달라고
말씀해 주시겠습니까?

I will call again later.

Ik zal later weer bellen.

[익 잘 라터르 베어 벨런]

나중에 다시 전화하겠습니다.

Can I leave a message?

Kan ik een bericht achterlaten?

[칸 익 언 버리흐트 아흐터라튼]

메시지를 남길 수 있을까요?

What's your phone number?

Wat is uw telefoonnummer?

[밧 이스 유 텔러폰누머]

전화번호가 어떻게 되세요?

My phone number is....

Mijn telefoonnummer is …

[마인 텔러폰누머 이스....]

제 전화번호는~입니다.

문법 맛보기

1. 등위 접속사
: 그리고 en / 그러나 maar / 혹은 of / 왜냐하면 want

2. 종속 접속사: 종속 접속사가 붙으면 종속절의 동사는 맨 뒤로 가게 됩니다.
: 때문에 omdat /~라는 것을(영어의that) dat /만약 als /
~동안 terwijl /비록~일지라도 hoewel / ~때에 toen

예) Hij leest een boek **terwijl** zij muziek luistert.
(그녀가 음악을 듣는 동안 그는 책을 읽는다.)

< 전자 기기 관련 단어>

computer	**De computer**	컴퓨터
laptop	**De laptop**	랩탑
wifi	**De wifi**	인터넷
e-mail	**De e-mail**	이메일
website	**De website**	웹 사이트
printer	**De printer**	프린터
camera	**De camera**	카메라
memory card	**De geheugenkaart**	메모리카드
battery	**De batterij**	배터리
electricity	**De elektriciteit**	전기
phone	**De telefoon**	전화
smart phone	**De smartphone**	스마트폰
SIM card	**De simkaart**	심카드
text message	**Het sms'je / Het tekstbericht**	문자 메시지
socket	**Het stopcontact**	콘센트
charger	**De oplader**	충전기
tablet pc	**De tablet**	태블릿 pc
headphones	**De koptelefoon**	헤드폰

12 우편, 환전

Where is the ATM?

Waar is de geldautomaat?

[바르 이스 드 헬드아우토맛]

ATM 기는 어디에 있나요?

Where is the nearest money exchange
office?

Waar is het dichtstbijzijnde wisselkantoor?

[바르 이스 헷 디히베자인드 위설칸토어]

여기 주변에 환전소는 어디죠?

I would like to exchange some money.

Ik wil graag wat geld wisselen.

[익 빌 흐라흑 밧 헬드 위설런]

돈을 환전하고 싶습니다.

What is the current exchange rate?

Wat is de wisselkoers?

[밧 이스 더 위설쿠르스]

현재 환율이 어떻게 되죠?

What is the exchange between Dollar and Euro?

Wat is de wisselkoers tussen Dollar en Euro?

[밧 이스 더 위설쿠르스 튜슨 돌라 엔 유로]

달러와 유로의 환율이 어떻게 되죠?

How much is the commission fee?

Hoeveel is de provisie?

[후벨 이스 더 프로비지]

수수료가 얼마입니까?

I want to send this package by airmail.

Ik wil dit pakket per luchtpost versturen.

[익 빌 딧 파켓 페르 루흐포스트 페르스튀런]

이 소포를 항공 우편으로 보내고 싶습니다.

I'd like to send this to America.

Ik wil dit naar Amerika sturen.

[익 빌 딧 나르 아메리카 스튀런]

이것을 미국으로 보내고 싶습니다.

How much does it cost to send this letter to Korea?

Hoeveel kost het om deze brief naar Korea te sturen? [후벨 코스트 헷 옴 데제 브리프 나르 코레아 트 스튀런]

한국으로 이 편지를 보내는데 얼마입니까?

Can I get 6 stamps?

Kan ik 6 postzegels krijgen?

[칸 익 제스 포스트제헐스 크레이헌]

우표 6 개 주세요.

Have I put enough stamps on this letter?

Heb ik genoeg postzegels op deze brief geplakt? [헵 익 허노흐 포스트제헐스 옵 데제 브리프 게플락]

우표가 여기 충분한가요?

< 금융 관련 단어>

bank	**De bank**	은행
ATM	**De geldautomaat**	현금자동인출기
account	**De rekening**	계좌
password	**Het wachtwoord**	비밀 번호
dollar	**De dollar**	달러
Euro	**De euro**	유로
money	**Het geld**	돈
cash	**Het contant geld**	현금
coin	**De munt**	동전
traveler's checks	**De reischeques**	여행자 수표
deposit	**De storting**	입금
interest	**De rente**	이자
credit card	**De creditcard**	카드
exchange rate	**De wisselkoers**	환율
currency exchange	**Het geldwisselkantoor**	환전

< 우편 관련 단어 >

domestic mail	De binnenlandse post	국내우편
international mail	De internationale post	국제우편
air mail	De luchtpost	항공우편
receiver	De ontvanger	수신인
sender	De afzender	발신인
package	Het pakket	소포
post office	Het postkantoor	우체국
ZIP code	De postcode	우편 번호
postage	De portokosten / Het porto	우편 요금
mailbox	De brievenbus	우편함
stamp	De postzegel	우표
address	Het adres	주소
postcard	De ansichtkaart	엽서
tracking number	Het volgnummer	배송조회번호

13

날 씨

What's the weather like today?

Hoe is het weer vandaag?

[후 이스 헷 베어 판다흐]

오늘 날씨 어때요?

What's the temperature today?

Wat is de temperatuur vandaag?

[밧 이스 더 템퍼라튀어르 판다흐]

오늘 몇 도 정도 될까요?

It's beautiful /nice weather.

Het is mooi / lekker weer.

[헷 이스 모이 / 레커르 베어]

날씨가 좋네요.

It's cold today.

Het is koud vandaag.

[헷 이스 카우트 판다흐]

오늘 추워요.

It's cool today.

Het is fris vandaag.

[헷 이스 프리스 판다흐]

오늘 시원해요.

It's warm today.

Het is warm vandaag.

[헷 이스 바름 판다흐]

오늘 따뜻해요.

It's hot today.

Het is heet vandaag.

[헷 이스 헤트 판다흐]

오늘 더워요.

It's humid /dry.

Het is vochtig / droog.

[헷 이스 포흐티흐 / 드로흐]

습합니다. / 건조합니다.

Will there be bad weather?

Zal er slecht weer zijn?

[잘 에르 슬레흐트 베어 자인]

날씨가 안 좋아 질까요?

Will the weather remain like this?

Blijft het weer zo?

[블레프트 헷 베어 조]

날씨가 죽 이럴까요?

Is it going to rain?

Gaat het regenen?   [하트 헷 레흐넨]

비가 올까요?

It's raining.

Het regent.   [헷 레흔]

비가 오고 있습니다.

It's snowing.

Het sneeuwt.   [헷 스네웃]

눈이 내리고 있습니다.

It's stormy.

Het is stormachtig.

[헷 이스 스톰아흐티]

폭풍우가 몰아치고 있습니다.

It's sunny.

Het is zonnig. [헷 이스 조니흐]

해가 납니다.

It's cloudy.

Het is bewolkt.

[헷 이스 버볼크트]

날씨가 흐립니다.

It's foggy.

Het is mistig. [헷 이스 미스티흐]

안개가 꼈습니다.

It's windy.

Het is winderig.

[헷 이스 빈더리흐]

· 바람이 붑니다.

It's icy.

Het is ijzig.

[헷 이스 아이지흐]

얼음이 얼었습니다.

문법 맛보기

화란어의 지시대명사는 다음과 같습니다.
het 명사인 중성명사 단수형만이 dit, dat 을 씁니다.

	통성명사(de명사) 모든 복수명사	단수 중성 명사 (het 명사)
이것(THIS)	**deze**	**dit**
저것(THAT)	**die**	**dat**

< 날씨 관련 단어 >

cloud	De wolk	구름
sun	De zon	해
climate	Het klimaat	기후
weather	Het weer	날씨
snow	De sneeuw	눈
snowstorm	De sneeuwstorm	눈보라
rainbow	De regenboog	무지개
wind	De wind	바람
rain	De regen	비
frost	De vorst	서리
fog	De mist	안개
temperature	De temperatuur	기온
degree	Het graad	온도
humidity	De luchtvochtigheid	습도
weather forecast	De weersvoorspelling	일기 예보
sleet	De ijzel	진눈깨비
thunder	De donder	천둥
lightning	De bliksem	번개
storm	De storm	폭풍
hurricane	De orkaan	허리케인
flood	De overstroming	홍수

< 계절 >

spring	**De lente**	봄
summer	**De zomer**	여름
autumn	**De herfst**	가을
winter	**De winter**	겨울

14

교 통

Do you know where … is?

Weet u waar ... is?

[베이트 유 바 ... 이스]

~가 어디에 있는지 아시나요?

I'm lost.

Ik ben verdwaald. [익 벤 페르드발]

길을 잃었어요.

Where is the nearest ….?

Waar is het dichtstbijzijnde...?

[바 이스 헷 디히츠베자인드...]

가장 가까운 ~가 어디 있나요?

89

How can I get to ... ?

Hoe kom ik bij... ?

[후 콤 익 베이...]

어떻게 ~에 가나요?

How can I get there by foot?

Hoe kan ik daar te voet komen?

[후 칸 익 다르 트 푸트 코먼]

거기는 걸어서 어떻게 가죠?

Is it walking distance?

Is het op loopafstand?

[이스 헷 옵 로파프스탄]

걸을 만한가요?

How far is it to the next tram stop?

Hoe ver is het naar de volgende tramhalte?

[후 페르 이스 헷 나르 더 폴헌더 트람할트]

다음 트램 정류장까지 얼마나 멀죠?

What time does the next bus depart?

Hoe laat vertrekt de volgende bus?

[후 라트 페르트렉 더 폴헌더 뷔스]

다음 버스는 몇 시에 출발해요?

Where does this bus go?

Waar gaat deze bus naartoe?

[바 하트 디제 뷔스 나르토]

이 버스는 어디로 가죠?

When will we arrive at ...?

Wanneer komen we aan bij …?

[바니어 코먼 베 안 베이...]

언제 ~에 도착하나요?

Does this bus/ train stop at ...?

Stopt deze bus / trein bij...?

[스톱트 디제 뷔스 / 트레인 베이...]

이 버스 / 기차 ~ 에 멈추나요?

Where do I have to get off?

Waar moet ik uitstappen?

[바르 무트 익 아우트스탑펀]

어디서 내려야 해요?

Do I have to transfer?

Moet ik overstappen?

[무트 익 오버스탑펀]

갈아타야 하나요?

Could you tell me where I have to get off?

Kunt u mij vertellen waar ik moet uitstappen?

[쿤트 유 마이 페르텔런 바 익 무트 아우트 스탑펀]

어디서 내려야하는지 알려주실 수 있으세요?

Where can I buy a ticket?

Waar kan ik een kaartje kopen?

[바 칸 익 언 카르텨 코펀]

어디서 표를 살 수 있나요?

How much does one way / round-trip ticket cost?

Wat kost een enkele / retour kaartje?

[왓 코스트 언 엥컬러 / 레투어르 카르텨]

편도/왕복 표 얼마예요?

Do I have to book a seat?

Moet ik een stoel reserveren?

[무트 익 언 스톨 레제르베런]

자리를 예매해야 하나요?

Do you have a timetable?

Heeft u een dienstregeling?

[헤이프트 유 언 디인스트레헬링]

시간표 있으세요?

Could you call a taxi?

Kunt u een taxi bellen?

[쿤트 유 언 탁시 벨런]

택시 좀 불러 주실 수 있나요?

How much does it cost to go ...?

Hoeveel kost het om naar ... te gaan?

[후벨 코스트 헷 옴 나르 ... 트 한]

~까지 가는데 얼마입니까?

Take me to this address.

Breng me naar dit adres.

[브렝 므 나 딧 아드레스]

이 주소로 가주세요.

How long will it take?

Hoelang duurt het?

[후랑 듀어트 헷]

얼마나 시간이 걸려요?

Hurry up please!

Schiet op alstublieft!

[스히트 옵 알스튜블리프트]

서둘러 주세요.

문법 맛보기

화란어에는 -je, -tje, -pje, -kje 등의 주로 단수형 명사 뒤에 붙는 지소형이라는 어미가 있습니다. 사물이나 동물을 작고 귀엽게 묘사하거나, 셀 수 없는 물질 명사에 붙어 셀 수 있는 명사로 만들어 주는 기능을 합니다.

-je: Vogel (새) → Vogeltje (작은 새)
-tje: Kat (고양이) → Katje (작은 고양이)
　　　Bier (맥주) → Biertje (한 잔의 맥주)
　　　Koffie (커피) → Koffietje (한 잔의 커피)

< 교통 관련단어 >

traffic	Het verkeer	교통
traffic light	Het verkeerslicht	교통 신호
crosswalk	Het zebrapad	횡단 보도
bridge	De brug	다리
way	De weg	길
taxi	De taxi	택시
tram	De tram	트램
bus	De bus	버스
bus stop	De bushalte	버스 정류장
sidewalk	Het voetpad / De stoep	보도
bus driver	De buschauffeur	버스 운전사
passenger	De passagier	승객
seat belt	De veiligheidsgordel	안전 벨트
car	De auto	자동차
bike	De fiets	자전거
station	Het station	정류장
subway	De metro	지하철
train	De trein	기차
train station	Het treinstation	기차역

timetable	**De dienstregeling**	시간표
round-trip ticket	**Het retourticket / De retour**	왕복표
oneway ticket	**Het enkeltje / Het enkele ticket**	편도표

< 방위 >

east	**de Oost**	동쪽
west	**de West**	서쪽
south	**de Zuid**	남쪽
north	**de Noord**	북쪽

15

관 광

Where is the tourist office?

Waar is het VVV-kantoor?
[바 이스 헷 페이페이페이-칸토어]
안내 센터는 어디죠?

Is there any good place to visit?

Zijn er leuke plekken om te bezoeken?
[자인 에르 루커 플레컨 옴 트 버주컨]
가볼 만한 곳이 어디인가요?

Do you have a city map?

Heeft u een stadsplattegrond?
[헤프트 유 언 스타츠플라터흐론]
시내 지도 있어요?

Can you mark it on the map?

Kunt u het op de kaart aanwijzen?

[쿤트 유 헷 옵 더 카트 안베이즌]

지도에 표시해 줄 수 있으세요?

Could you take a photo of us?

Kunt u een foto van ons maken?

[쿤트 유 언 포토 판 온스 마컨]

저희 사진 좀 찍어주시겠어요?

Can I take photos?

Mag ik foto's maken?

[마흐 익 포토스 마컨]

사진 찍어도 되나요?

When is here open / closed?

Wanneer is het hier open / gesloten?

[바니어 이스 헷 히르 오픈 / 헷슬로턴]

여기는 언제 열어요? / 닫아요?

Do you have a group discount?

Heeft u groepskorting?

[헤이프트 유 흐룹스코팅]

그룹 할인이 있나요?

Do you have a student discount?

Heeft u studentenkorting?

[헤이프트 유 스튜댄텐코팅]

학생 할인 있나요?

Where can I do ...?

Waar kan ik ... doen?

[바르 칸 익 ... 둔]

어디서 ~를 할 수 있죠?

Is there … nearby?

Is er ... in de buurt?

[이스 에르 ... 인 더 뷔엇]

주변에 ~가 있나요?

Are there guided tours?

Zijn er rondleidingen?

[자인 에르 론드레이딩언]

가이드 투어가 있나요?

Do we have free time?

Hebben we vrije tijd?

[헤븐 베 브레이 테트]

자유 시간 있어요?

How much free time do we have?

Hoeveel vrije tijd hebben we?

[후벨 브레이 테트 헤븐 베]

자유 시간 얼마나 있어요?

< 장소 관련단어 >

church	**De kerk**	교회
Internet cafe	**Het internetcafé**	PC방
police station	**Het politiebureau**	경찰서
park	**Het park**	공원
palace	**Het paleis**	궁전
theater	**Het theater**	극장
university	**De universiteit**	대학
library	**De bibliotheek**	도서관
zoo	**De dierentuin**	동물원
restaurant	**Het restaurant**	식당
beauty salon	**De dameskapper**	미용실
bar	**De bar**	바
museum	**Het museum**	박물관
department store	**Het warenhuis**	백화점
hospital	**Het ziekenhuis**	병원
bakery	**De bakkerij**	빵집
bookstore	**De boekwinkel**	서점
castle	**Het kasteel**	성
cathedral	**De kathedraal**	성당
fire station	**De brandweerkazerne**	소방서

swimming pool	**Het zwembad**	수영장
supermarket	**De supermarkt**	슈퍼마켓
town hall	**Het stadhuis**	시청
shoe store	**De schoenenwinkel**	신발가게
pharmacy	**De apotheek**	약국
cinema	**De bioscoop**	영화관
clothing store	**De kledingwinkel**	옷가게
amusement park	**Het pretpark**	유원지
butcher shop	**De slager**	정육점
kiosk	**De kiosk**	키오스크
school	**De school**	학교
port	**De haven**	항구

< 관광 관련 단어 >

guidebook	**De reisgids**	가이드북
sightseeing	**Het toerisme**	관광
tourist office	**Het VVV-kantoor / Het toeristenbureau**	관광 안내소
tourist	**De toerist**	관광객
gift shop	**De cadeauwinkel**	기념품점
lost and found	**Het gevonden voorwerpen**	분실물 사무소
photo	**De foto**	사진
honeymoon	**De huwelijksreis**	신혼 여행
brochure	**De brochure**	안내 책자
trip	**De reis**	여행
reservation	**De reservering**	예약
itinerary	**Het reisplan**	일정표
ticket	**Het ticket**	입장권
entrance fee	**De toegangsprijs**	입장료
free time	**De vrije tijd**	자유 시간
map	**De kaart**	지도
queue	**De rij / De wachtrij**	차례, 줄
business trip	**De zakenreis**	출장

공 항

16-1) 출국 시

Where is your destination?

Wat is uw bestemming?

[밧 이스 유 베스템민]

어디로 가십니까?

May I see your passport, please?

Mag ik alstublieft uw paspoort zien?

[막 이 알스튜블리프 유 파스포르트 젠]

여권 보여주세요.

I want to confirm / cancel / change my reservation.

Ik wil mijn reservering bevestigen / annuleren / wijzigen.

[익 빌 메인 레세르베린 비베스티헌 / 안눌레 렌 / 베이저헌]

예약을 확인/취소/변경하고 싶어요.

I booked online.

Ik heb online geboekt. [익 헵 온라인 헤북]

인터넷으로 예약했어요.

I want a window / aisle seat.

Ik wil een stoel bij het raam.

/ aan het gangpad.

[익 빌 은 스톨 베이 헷 람 / 안 헷 한파트]

창가 쪽/복도 쪽 좌석 주세요.

How many suitcases are allowed?

Hoeveel tassen mag ik meenemen?

[후벨 타센 마흐 익 메네멘]

수화물 몇 개까지 허용돼요?

Which gate should I go to?

Naar welke gate moet ik gaan?

[날 벨케 헤트 뭇 익 하안]

몇 번 게이트로 가야하나요?

Until what time can I check-in?

Tot hoe laat kan ik inchecken?

[톳 후 라트 칸 익 인체큰]

몇 시까지 체크인할 수 하나요?

The departure is delayed.

Het vertrek is vertraagd.

[헷 페트렉 이스 페트라트]

출발이 지연되었습니다.

The flight was canceled.

De vlucht is geannuleerd.

[더 플룩트 이스 하누리엇]

비행기가 취소되었습니다.

Fasten your seatbelt!

Doe uw gordel om!

[두 유 호덜 옴]

안전벨트를 착용해 주십시오.

Return to your seat!

Ga terug naar uw stoel.

[하 트룩 날 유 스톨]

자리로 돌아가 주십시오.

I want something to drink.

Ik wil graag iets te drinken.

[익 빌 흐라흐 잇스 트 드린켄]

마실 것 좀 주세요.

Is this seat taken?

Is deze stoel bezet?

[이스 데이스 스톨 베젯]

이 자리 누구 있나요? (비었습니까?)

Turn off your cellphone!

Zet uw mobiele telefoon uit!

[젯 유르 모비레 텔레폰 아우트]

휴대전화를 꺼주세요.

16-2) 입국 시

What is the purpose of your visit?

Wat is het doel van uw bezoek?

[밧 이스 헷 둘 판 유어 베주크]

여행 목적은 무엇입니까?

I am on a business trip.

Ik ben op zakenreis.

[익 벤 옵 자켄레스]

출장 중입니다.

I'm here on vacation.

Ik ben hier op vakantie.

[익 벤 히어 옵 바칸시]

여기 휴가로 왔어요.

I'm here with a tourist group.

Ik ben hier met een toeristengroep.

[익 벤 히어 메트 은 투리스텐흐룹]

단체 여행으로 왔습니다.

I'm visiting families.

Ik bezoek familie.

[익 베주크 파밀리]

가족을 만나러 왔습니다.

Where will you be staying?

Waar gaat u verblijven?

[바 하트 유 베르블레이번]

어디에서 지내실 겁니까?

How long are you going to be here?

Hoelang blijft u hier?

[후랑 블레이프트 유 히어]

얼마 동안 머물 예정입니까?

A couple of days.

Een paar dagen.

[은 파 다헌]

며칠간만요.

I am here for three weeks.

Ik ben hier voor drie weken.

[익 벤 헤이르 포어 드리 베큰]

3주 동안 있을 겁니다.

Do you have anything to declare?

Heeft u iets aan te geven?

[헤프트 유 잇스 안 트 헤븐]

신고할 것 있으십니까?

I have nothing to declare.

Ik heb niets aan te geven.

[익 헙 닛스 안 트 헤븐]

신고할 것 없습니다.

Where can I get my luggage?

Waar kan ik mijn bagage ophalen?

[바 칸 익 마인 바하쥐 오팔렌]

어디서 가방을 찾나요?

My luggage has disappeared.

Mijn bagage is verdwenen.

[마인 바하쥐 이스 버드베넨]

제 가방이 없어졌습니다.

I can't find my luggage.

Ik kan mijn bagage niet vinden.

[익 칸 마인 바하쥐 닛 빈덴]

제 가방을 찾을 수가 없어요.

How can I get to downtown from the airport?

Hoe kom ik naar het centrum vanaf het vliegveld. [후 콤 익 나 헷 센트뤔 반아프 헷 브리프펠트]

공항에서 시내에 가려면 어떻게 해야 하나요?

Is there a bus that goes to the cityhall?

Gaat er een bus naar het stadhuis?

[하트 어 렌 뷔스 나 헷 스탓하우스]

시청까지 가는 버스가 있나요?

Is there a train that departs from the airport?

Vertrekt er een trein vanaf de luchthaven?

[페트렉트 어 엔 트레인 반아 드 루흐트하벤]

공항에서 출발하는 기차가 있나요?

< 공항 관련 단어 >

airport	**De luchthaven**	공항
domestic flight	**De binnenlandse vlucht**	국내선
nationality	**De nationaliteit**	국적
international flight	**De internationale vlucht**	국제선
hand luggage	**De handbagage**	기내 수하물
duty free shop	**De belastingvrije winkel**	면세점
airplane	**Het vliegtuig**	비행기
plane ticket	**Het vliegticket**	비행기 표
visa	**Het visum**	사증, 비자
customs	**De douane**	세관
tax	**De belasting**	세금
stopover	**De tussenlanding**	스탑 오버
passport	**Het paspoort**	여권
foreign country	**Het buitenland**	외국
checked in bagage	**De ingecheckte bagage**	위탁 수하물
airline	**De luchtvaartmaatschappij**	항공사
flight number	**Het vluchtnummer**	항공편 번호

17

쇼 핑

Where can I buy …?

Waar kan ik ... kopen? [바 칸 익...코펜]

어느 곳에서 ~ 살 수 있죠?

When do you open?

Wanneer bent u open?

[바니어 벤트 유 어펜]

언제 열어요?

How can I help you?

Hoe kan ik u helpen?

[후 칸 익 유 헬펜]

무엇을 도와드릴까요?

No thank you, I'm just looking around.

Nee dank u, ik kijk alleen rond.

[네이 당 유, 익 캐크 얼레인 론]

괜찮아요, 그냥 보는 거예요.

I am looking...

Ik zoek naar... [익 족 나르...]

~ 찾고 있는데요.

Do you sell...?

Verkoopt u...? [페르콥트 유...]

~ 파나요?

Can I try it on?

Mag ik het passen? [말 이크 헷 패슨]

입어 봐도 되나요?

Do you have bigger / smaller size?

Heeft u een grotere / kleinere maat?

[헤프트 유 은 흐로테레 / 클라이네레 마트]

큰/작은 사이즈는 없나요?

Don't you have anything cheaper?

Heeft u iets goedkopers?

[헤이프트 유 잇츠 홋코퍼스]

싼 것은 없나요?

How much does this cost?

Hoeveel kost dit?

[후벨 코스트 딛]

이것은 얼마예요?

Do you need anything else?

Heeft u nog iets nodig?

[헤프트 유 이츠 노디ㅎ]

또 필요한 것은 없으세요?

No, thank you. Nothing else.

Nee dank u. Niets anders.

[네이 당 유. 닛츠 안더스]

네 다른 것은 필요 없어요.

How much is it in total?

Hoeveel kost het in totaal?

[후벨 코스트 헷 인 토탈]

모두 얼마입니까?

It's inexpensive / expensive.

Het is goedkoop / duur.

[헷 이스 후트콥 / 듀어]

싸네요. / 비싸네요.

Can you lower the price?

Kunt u de prijs verlagen?

[쿤트 유 더 프레이스 페를라헌]

깎아 주실 수 있으세요?

Do you accept credit cards?

Accepteert u creditcards?

[악셉테트 유 크레딧카드]

신용카드로 계산되나요?

Can I get a receipt?

Kan ik een bon krijgen?

[캔 익 언 본 크레헌]

영수증 좀 주실래요?

Can I have a plastic bag?

Kan ik een plastic tas krijgen?

[캔 익 언 플라스틱 타스 크레헌]

봉지 좀 주실래요?

This is broken.

Dit is kapot.   [딛 이스 카폿]

이거 망가졌어요.

This is damaged.

Dit is beschadigd. [딛 이스 베스하딧]

이거 손상이 있어요.

I'd like to exchange this.

Ik wil dit graag ruilen.

[익 빌 딛 흐라흐 라일런]

이것을 교환하고 싶어요.

문법 맛보기

hebben 동사와 zijn 동사를 통해 현재시제 동사변화를 알아봅시다.

어간이란 동사 원형에서 "-(e)n"을 제거한 부분입니다. 1인칭 단수 ik 다음에는 어간만을 써주고, 2,3인칭 단수에서는 어간에 어미 -t를 붙입니다. 모든 복수인칭은 동사원형을 그대로 써줍니다.

인칭	Hebben (가지다)	Zijn (이다)	
나	ik heb	ik ben	어간
너 (u 포함)	jij/je hebt	jij/je bent	어간
그,그녀,그것	hij/zij/ze/het heeft	hij/zij/ze/het is	+ -t
우리	wij/we hebben	wij/we zijn	원형
너희들	jullie hebben	jullie zijn	그대로
그들	zij/ze hebben	zij/ze zijn	사용

< 쇼핑 관련 단어 >

cashier	De kassier / De caissière	계산원
cost	De kosten	가격
size	De maat	사이즈
store	De winkel	상점
gift	Het cadeau	선물
discount	De uitverkoop	할인
customer	De klant	손님
shopping street	De winkelstraat	쇼핑 거리
shopping center	Het winkelcentrum	쇼핑몰
receipt	De bon	영수증
opening hour	Het openingsuur	영업 시간
entrance	De ingang	입구
clerk	De winkelbediende	점원
exit	De uitgang	출구
fashion	De mode	패션
sold out	Uitverkocht	매진
quality	De kwaliteit	품질
dressing room	De paskamer	피팅 룸
refund	De terugbetaling	환불

< 옷, 패션 관련 단어 >

tie	**De stropdas**	넥타이
hat	**De hoed**	모자
pants	**De broek**	바지
belt	**De riem**	벨트
blouse	**De blouse**	블라우스
raincoat	**De regenjas**	우비
shirt	**Het shirt**	셔츠
underwear	**Het ondergoed**	속옷
handkerchief	**De zakdoek**	손수건
swimsuit	**Het badpak**	수영복
shawl	**De sjaal**	스카프
skirt	**De rok**	스커트
shoes	**De schoenen**	신발
socks	**De sokken**	양말
gloves	**De handschoenen**	장갑
jacket	**Het jasje**	재킷
jeans	**De spijkerbroek**	청바지
coat	**De jas**	코트
vest	**Het vest**	조끼

< 치장, 미용 관련 단어 >

handbag	**De handtas**	핸드백
earring	**De oorbel**	귀걸이
wallet	**De portemonnee**	지갑
coin wallet	**Het muntportemonnee**	동전 지갑
lipstick	**De lipstick**	립스틱
comb	**De kam**	빗
sunglasses	**De zonnebril**	선글라스
massage	**De massage**	마사지
nail polish	**De nagellak**	매니큐어 액
reflector	**De reflector**	반사체
wristwatch	**Het polshorloge**	손목시계
eyeliner	**De eyeliner**	아이라이너
sunscreen	**De zonnebrandcrème**	선 블록
perfume	**Het parfum**	향수
deodorant	**De deodorant**	데오드란트
eye shadow	**De oogschaduw**	아이섀도
makeup	**De make-up**	화장
glasses	**De bril**	안경
bracelet	**De armband**	팔찌
necklace	**De ketting**	목걸이

< 색 >

red	**Rood**	빨강색
pink	**Roze**	분홍색
orange	**Oranje**	주황색
yellow	**Geel**	노란색
green	**Groen**	녹색
blue	**Blauw**	파랑색
purple	**Paars**	보라색
brown	**Bruin**	갈색
gray	**Grijs**	회색
black	**Zwart**	검은색
white	**Wit**	흰색

18

숙 박

Do you have rooms available?

Heeft u kamers beschikbaar?

[헤프트 유 카머스 베스힉바]

빈 방 있습니까?

Do you have a single / double room?

Heeft u een eenpersoonskamer? /

tweepersoonskamer?

[헤프트 유 은 은페르쏜스카머 / 트웨이페르

쏜스카머]

싱글/더블룸 있나요?

I will stay one night. /3 nights.

Ik blijf één nacht. / 3 nachten.

[익 블라입 엔 나흐트. / 드레이 나흐턴]

1박 / 3박 묵겠습니다.

I have a room booked under the name of ...

Ik heb een kamer geboekt op naam van...

[익 헙 은 카메르 헤북트 옵 남 판...]

~란 이름으로 예약했습니다.

How much is it per night?

Hoeveel kost het per nacht?

[후벨 코스트 헷 페르 나흐트]

하룻밤에 얼마예요?

Does the price include breakfast?

Is het ontbijt inbegrepen in de prijs?

[이스 헷 온베트 잉베그레픈 인 데 프레스]

아침 포함된 가격인가요?

What time is breakfast?

Hoe laat is het ontbijt?

[후 라트 이스 헷 온트베트]

몇 시에 아침인가요?

I want a room with a bathroom.

Ik wil een kamer met een badkamer.

[익 빌 은 카메르 메트 은 바드카머]

화장실 딸린 방으로 주세요.

How long are you planning to stay?

Hoelang bent u van plan te blijven?

[후랑 벤트 유 판 프랜 트 블레이번]

얼마 동안 머물 예정이십니까?

You need to pay in advance.

U moet vooraf betalen.

[유 무테 포라프 베탈렌]

미리 지불하셔야 합니다.

Where can I use the Internet?

Waar kan ik internet gebruiken?

[바 칸 익 인터넷 헤브레켄]

어디서 인터넷을 쓸 수 있죠?

Is there a free wifi available here?

Is er gratis wifi beschikbaar hier?

[이스 에 흐라티스 위피 베스힙바 히어]

무료 와이파이가 있나요?

What is the wifi password?

Wat is het wifi-wachtwoord?

[바트 이스 헷 위피 바흐트워트]

와이파이 비밀번호가 무엇인가요?

Could you give me my room key?

The room number is….

**Kunt u mij mijn kamersleutel geven?
Kamer nummer is...**

[쿤트 유 마이 메인 카메슬루텔 헤븐? 카머
누메르 이스 ...]

방 열쇠를 줄 수 있나요? 방 번호는~입니다.

The room is too noisy.

De kamer is te lawaaierig.

[드 카머 이스 테 라바이리흐]

방에 소음이 심해요.

The toilet is clogged.

De toilet zit verstopt.

[더 토일렛 짓 베르스톱]

화장실이 막혔어요.

The heater does not work.

De verwarming werkt niet.

[드 버바밍 베악트 닛]

히터가 고장 났어요.

I left my key in the room.

Ik heb mijn sleutel in de kamer gelaten.

[익 헙 마인 슬루텔 인 더 카메 헤라탄]

방에 열쇠를 두고 나왔어요.

The room has not been cleaned.

De kamer is niet schoongemaakt.

[더 카메 이스 닛 숀흐막트]

방이 치워지지 않았어요.

We don't have electricity.

We hebben geen elektriciteit.

[위 헤벤 헤인 엘렉트리시텟]

전기가 안 들어와요.

The lights are off.

De lampen zijn uit.

[더 람펜 제인 아우트]

불이 나갔어요.

The TV is out of order.

De televisie is kapot.

[더 텔리비지 이스 카폿]

TV 가 고장났어요.

Can you give me an extra blanket?

Kunt u me een extra deken geven?

[쿤트 유 미 은 엑스트라 더켄 헤븐]

담요 하나만 더 주세요.

Could you store my luggage?

Kunt u mijn bagage opslaan?

[쿤트 유 마인 바하쥐 옵슬라안]

짐 좀 맡아 주시겠어요?

I would like to check out.

Ik wil uitchecken. [익 빌 아우트체컨]

체크아웃 하고자 합니다.

문법 맛보기

부정형을 만들기 위하여 보통 niet와 geen가 많이 이용됩니다. Niet는 영어의 not에 해당하며, Geen은 영어의 no에 해당합니다. geen는 부정관사가 있는 명사나 무관사 명사를 부정할 때 사용되며 niet는 그 외의 경우에 사용됩니다.

Ik zie de film <u>niet</u>. (나는 그 영화를 보지 않는다.)
Het is <u>niet</u> koud. (날씨가 춥지 않다.)

Ik heb <u>geen</u> idee. (나는 아이디어가 없다.)
Er is <u>geen</u> melk. (우유가 없다.)

< 숙박, 건물 관련 단어 >

building	**Het gebouw**	건물
double room	**De tweepersoonskamer**	더블룸
room service	**De roomservice**	룸 서비스
room	**De kamer**	방
single room	**De eenpersoonskamer**	싱글룸
apartment	**Het appartement**	아파트
elevator	**De lift**	엘리베이터
house	**Het huis**	집
check out	**Uitchecken / Het uitchecken**	체크아웃
check in	**Inchecken / Het inchecken**	체크인
floor	**De verdieping**	층
porter	**De portier**	포터
reception	**De receptie**	리셉션
hostel	**Het hostel**	호스텔
hotel	**Het hotel**	호텔

< 방 안, 사물 관련 단어 >

living room	**De woonkamer**	거실
mirror	**De spiegel**	거울
refrigerator	**De koelkast**	냉장고
hair dryer	**De haardroger**	헤어 드라이어
lamp	**De lamp**	램프
door	**De deur**	문
balcony	**Het balkon**	발코니
pillow	**Het kussen**	베개
kitchen	**De keuken**	부엌
soap	**De zeep**	비누
sauna	**De sauna**	사우나
shower	**De douche**	샤워
shampoo	**De shampoo**	샴푸
washing machine	**De wasmachine**	세탁기
couch	**De bank / De sofa**	소파
towel	**De handdoek**	수건
key	**De sleutel**	열쇠
oven	**De oven**	오븐
bathroom	**De badkamer**	욕실

bathtub	**Het bad**	욕조
chair	**De stoel**	의자
comforter	**Het dekbed**	이불
wardrobe	**De kledingkast**	장롱
window	**Het raam**	창
toothpaste	**De tandpasta**	치약
bed	**Het bed**	침대
bedroom	**De slaapkamer**	침실
toothbrush	**De tandenborstel**	칫솔
curtain	**Het gordijn**	커튼
table	**De tafel**	탁자
TV	**De televisie / De TV**	텔레비전
toilet	**Het toilet**	화장실

< 문구 관련 단어 >

scissor	**De schaar**	가위
ballpoint pen	**De balpen**	볼펜
envelope	**De envelop**	봉투
dictionary	**Het woordenboek**	사전
tape	**Het plakband / De tape**	테이프
newspaper	**De krant**	신문
pen	**De pen**	펜
journal	**Het tijdschrift**	잡지
glue	**De lijm**	접착제
eraser	**De gum / De gom**	지우개
paper	**Het papier**	종이
book	**Het boek**	책
pencil	**Het potlood**	연필

I'd like to book a table.

Ik wil graag een tafel reserveren.

[익 빌 흐라흐 어 타펠 레셀베렌]

자리 예약하고 싶습니다.

For how many (people)?

Voor hoeveel personen? [포어 후벨 퍼르쏘넨]

몇 분이시죠?

A table for two people, please.

Een tafel voor twee personen, alstublieft.

[은 타펠 포어 트웨이 퍼르쏘넨, 알스튜블립트]

2 명 자리 부탁해요.

Do you have any available tables?

Is er een tafel vrij?

[에스 에 엔 타펠 프레이]

자리 있나요?

Could you wait a moment?

Kunt u even wachten?

[쿤트 유 에번 바흐텐]

좀 기다려 주시겠습니까?

How long do I have to wait?

Hoelang moet ik wachten?

[후랑 무트 익 바흐텐]

얼마나 기다려야 하나요?

May I sit here?

Mag ik hier zitten?　　[말 이크 히어 짓튼]

여기 앉아도 돼요?

I'm hungry.

Ik heb honger.　[익 헤브 홍어르]

배가 고파요.

I'm thirsty.

Ik heb dorst.　[익 헤브 도얼스트]

목이 마릅니다.

Can I see the menu?

Mogen wij de nemukaart?

[모헨 베이 디 메누카르트]

메뉴 좀 볼 수 있을까요?

What kind of food is this?

Wat voor soort eten is dit?

[와트 포르 소트 에턴 이스 딧]

이 음식은 무엇인가요?

Would you like to order?

Wilt u bestellen?

[빌트 유 베스텔렌]

주문하시겠습니까?

We have not decided yet.

We weten het nog niet.

[베 베텐 헷 녹 니잇]

아직 결정을 못 했어요.

What would you recommend?

Wat kunt u ons aanbevelen?

[바트 쿤 유 온스 안베벨런]

무엇을 추천하시나요?

Can I get this without...?

Kan ik dit krijgen zonder…?

[캔 익 딛 크레헌 손더...]

이 음식에서 ~ 빼주실 수 있으세요?

I cannot eat pork.

Ik eet geen varkensvlees.

[익 에트 헤인 발컨스플레이스]

돼지 고기를 못 먹어요.

This is not what I ordered.

Dit is niet wat ik besteld heb.

[딛 이스 닛 밧 익 베스텔트 헷]

이것은 제가 시킨 것이 아니에요.

Enjoy your meal!

Eet smakelijk! [에트 스마커릭]

맛있게 드세요.

This tastes good.

Dit smaakt goed. [딛 스막트 훗]

이거 맛있네요.

Bill please.

De rekening, alstublieft.

[더 레이닝크, 알스튜블립트]

계산서를 주세요.

< 식당 관련 단어 >

bill	De rekening	계산서
knife	Het mes	나이프
napkin	Het servet	냅킨
lemonade	De limonade	레모네이드
beer	Het bier	맥주
menu	Het menu	메뉴
main course	Het hoofdgerecht	메인 코스
water	Het water	물
barbecue	De barbecue	바비큐
butter	De boter	버터
bread	Het brood	빵
salad	De salade	샐러드
sugar	De suiker	설탕
salt	Het zout	소금
sauce	De saus	소스
soup	De soep	수프
steak	De biefstuk / De steak	스테이크
spoon	De lepel	스푼
ice cream	Het ijs	아이스크림
starter	Het voorgerecht	애피타이저

omelette	**De omelet**	오믈렛
wine	**De wijn**	와인
yoghurt	**De yoghurt**	요구르트
milk	**De melk**	우유
waiter	**De ober**	웨이터
mashed potatoes	**De aardappelpuree**	으깬 감자
jam	**De jam**	잼
juice	**Het sap**	주스
tea	**De thee**	차
chocolate	**De chocolade**	초콜릿
coffee	**De koffie**	커피
cup	**De kop**	컵
cake	**De cake**	케이크
pancake	**De pannenkoek**	팬케이크
fork	**De vork**	포크
pizza	**De pizza**	피자
dessert	**Het dessert / Het nagerecht**	후식
pepper	**De peper**	후추

< 식품 관련 단어 >

crab	**De krab**	게
potato	**De aardappel**	감자
meat	**Het vlees**	고기
fruit	**Het fruit**	과일
egg	**Het ei**	달걀
chicken meat	**Het kippenvlees**	닭고기
carrot	**De wortel**	당근
cod	**De kabeljauw**	대구
pork	**Het varkensvlees**	돼지고기
strawberry	**De aardbei**	딸기
lemon	**De citroen**	레몬
garlic	**De knoflook**	마늘
melon	**De meloen**	멜론
banana	**De banaan**	바나나
pear	**De peer**	배
mushroom	**De champignon**	버섯
peach	**De perzik**	복숭아
blueberry	**De bosbes**	블루 베리
apple	**De appel**	사과
shrimp	**De garnaal**	새우

fish	**De vis**	생선
beef	**Het rundvlees**	소고기
sausage	**De worst**	소세지
trout	**De forel**	송어
watermelon	**De watermeloen**	수박
reindeer meat	**Het rendiervlees**	순록고기
rice	**De rijst**	쌀
lamb	**Het lamsvlees**	양고기
cabbage	**De kool**	양배추
onion	**De ui**	양파
salmon	**De zalm**	연어
orange	**De sinaasappel**	오렌지
duck meat	**Het eendenvlees**	오리고기
cucumber	**De komkommer**	오이
olives	**De olijven**	올리브
pea	**De erwt**	완두콩
tuna	**De tonijn**	참치
vegetables	**De groenten**	채소
herring	**De haring**	청어
cheese	**De kaas**	치즈
bean	**De boon**	콩
tomato	**De tomaat**	토마토

pineapple	**De ananas**	파인애플
grape	**De druif**	포도
ham	**De ham**	햄

20

병 원

Where does it hurt?

Waar heeft u pijn?

[바 헙트 유 펜]

어디가 아프세요?

I'm injured.

Ik ben gewond. [익 벤 헤분]

다쳤어요.

It hurts.

Het doet pijn. [헷 두트 펜]

(여기) 아파요.

I feel sick.

Ik voel me ziek. [익 풀 메 직]

몸이 안 좋아요.

I feel queasy.

Ik voel me misselijk. [익 풀 메 미슬릭]

메스꺼워요.

I don't feel good.

Ik voel me niet goed. [익 풀 메 닛 훗]

기분이 좋지 않습니다.

I have the flu.

Ik heb griep. [익 헤브 흐립]

독감에 걸렸어요.

I have a cold.

Ik ben verkouden.

[익 벤 벨코던]

감기에 걸렸어요.

I'm tired.

Ik ben moe.

[익 벤 무]

피곤해요.

I'm allergic to ....

Ik ben allergisch voor....

[익 벤 알레르히슥 포어....]

~에 알레르가가 있어요.

I have pain in …

Ik heb pijn in... [익 헤브 펜 인...]

~가 아파요.

I have a cough / runny nose / fever / chills.

Ik heb een hoest / loopneus / koorts / koude rillingen.

[익 헤브 은 후스트 / 롭노스 / 코얼스 / 코데 릴리헌]

기침/콧물/열/오한 있어요.

I have diarrhea.

Ik heb diarree. [익 헤브 디아레]

설사해요.

I have a headache / stomachache / toothache.

Ik heb hoofdpijn / buikpijn / kiespijn.

[익 헤브 후프펜 / 뷕크펜 / 키스펜]

두통/복통/치통이 있어요.

I have a sore throat.

Ik heb keelpijn.

[익 헤브 키일펜]

목이 부었어요.

I feel dizzy.

Ik voel me duizelig.

[익 풀 메 두젤릭]

어지러워요.

My nose is blocked.

Mijn neus is verstopt.

[마인 느스 이스 벨스톱]

코가 막혔어요.

문법 맛보기

　과거시제의 동사변화는 어간 끝 자음이 유성이냐 무성이냐에 따라 다릅니다. 즉 무성음으로 끝나면 –te (-ten: 복수형), 유성음으로 끝나면 -de (-den: 복수형)를 붙입니다. 아래 예시의 werken의 어간 werk는 무성음 k로 끝나므로 -te를 사용, leren의 어간 leer는 유성음 r로 끝나므로 -de를 사용합니다.

인칭	werken (일하다)	과거	leren (배우다)	과거
나	ik werkte	어간 + -te	ik leerde	어간 + -de
너	jij/je werkte		jij/je leerde	
그(녀)/그것	hij/zij/ze/het werkte		hij/zij/ze/het leerde	
우리	wij/we werkten	어간 + -ten	wij/we leerden	어간 + -den
너희	jullie werkten		jullie leerden	
그들	zij/ze werkten		zij/ze leerden	

참고로 과거 분사를 만드는 법 또한 '(ge-) + 어간 + -d (유성음으로 끝날 때) / -t (무성음으로 끝날 때)' 입니다.

예: werken: **ge**wer**kt** (ge- + werk + -t) / leren: **ge**leer**d** (ge- + leer + -d)

< 신체 관련 단어 >

breast	**De borst**	가슴
ear	**Het oor**	귀
eye	**Het oog**	눈
bone	**Het bot**	뼈
back	**De rug**	등
head	**Het hoofd**	머리
hair	**Het haar**	머리카락
throat	**De keel**	목구멍
neck	**De nek**	목
knee	**De knie**	무릎
foot	**De voet**	발
toe	**De teen**	발가락
ankle	**De enkel**	발목
stomach	**De maag / De buik**	배
bellybutton	**De navel**	배꼽
cheek	**De wang**	뺨
hand	**De hand**	손
finger	**De vinger**	손가락
wrist	**De pols**	손목
body	**Het lichaam**	신체

shoulder	**De schouder**	어깨
face	**Het gezicht**	얼굴
forehead	**Het voorhoofd**	이마
mouth	**De mond**	입
teeth	**De tanden**	치아
nose	**De neus**	코
chin	**De kin**	턱
arm	**De arm**	팔
elbow	**De elleboog**	팔꿈치
skin	**De huid**	피부
thigh	**De dij**	허벅지

21

긴 급

Help!

Help!   [헬프]

도와줘요!

Be careful!

Wees voorzichtig!   [비스 포지흐티흥]

조심해요!

Fire!

Brand!   [브란]

불이야!

Stop!

Stop!　　[스톱]

멈춰요!

Quickly!

Snel!　　[스넬]

빨리요!

Police!

Politie!　　[폴리치]

경찰!

Call an ambulance!

Bel een ambulance!

[벨 은 암뷸랑스]

구급차를 불러주세요.

I forgot ...

Ik ben ... vergeten. [익 벤 ... 펠흐튼]

~을 잊어버렸어요.

I lost ...

Ik ben mijn ... verloren.

[익 벤 메인....페로렌]

~을 잃어버렸어요.

Did you find my ...?

Heeft u mijn ... gevonden?

[헵트 유 메인 ... 허폰든]

내 ~을 찾았나요?

My ... has been stolen.

Mijn ... is gestolen. [메인 ... 이스 허스톨런]

내 ~가 도둑 맞았어요.

Call the police!

Bel de politie!

[벨 더 폴리치]

경찰을 불러주세요.

I'm innocent.

Ik ben onschuldig.

[익 벤 운스훌디흐]

나는 무죄에요.

I want a lawyer.

Ik wil een advocaat.

[익 빌 은 앋보카트]

변호사를 원합니다.

부록: 단어 색인

영어	정관사 + 네덜란드어	한국어
account	De rekening	계좌
address	Het adres	주소
adult	De volwassene	어른
air mail	De luchtpost	항공우편
airline	De luchtvaartmaatschappij	항공사
airplane	Het vliegtuig	비행기
airport	De luchthaven	공항
America	Amerika / De Verenigde Staten	미국
amusement park	Het pretpark	유원지
ankle	De enkel	발목
apartment	Het appartement	아파트
apple	De appel	사과
April	April	4 월
arm	De arm	팔
ATM	De geldautomaat	현금자동인출기
August	Augustus	8 월
aunt	De tante	이모, 고모
Austria	Oostenrijk	오스트리아

autumn	De herfst	가을
back	De rug	등
bakery	De bakkerij	빵집
balcony	Het balkon	발코니
ballpoint pen	De balpen	볼펜
banana	De banaan	바나나
bank	De bank	은행
bar	De bar	바
barbecue	De barbecue	바비큐
bathroom	De badkamer	욕실
bathtub	Het bad	욕조
battery	De batterij	배터리
bean	De boon	콩
beauty salon	De dameskapper	미용실
bed	Het bed	침대
bedroom	De slaapkamer	침실
beef	Het rundvlees	소고기
beer	Het bier	맥주
bellybutton	De navel	배꼽
belt	De riem	벨트
bike	De fiets	자전거
bill	De rekening	계산서

black	Zwart	검은색
blouse	De blouse	블라우스
blue	Blauw	파랑색
blueberry	De bosbes	블루 베리
body	Het lichaam	신체
bone	Het bot	뼈
book	Het boek	책
bookstore	De boekwinkel	서점
boy	De jongen	소년
boyfriend	De vriend	남자 친구
bracelet	De armband	팔찌
bread	Het brood	빵
breast	De borst	가슴
bridge	De brug	다리
brochure	De brochure	안내 책자
brother	De broer	형제
brown	Bruin	갈색
building	Het gebouw	건물
bus	De bus	버스
bus driver	De buschauffeur	버스 운전사
bus stop	De bushalte	버스 정류장
business trip	De zakenreis	출장

butcher shop	De slager	정육점
butter	De boter	버터
cabbage	De kool	양배추
cake	De cake	케이크
camera	De camera	카메라
car	De auto	자동차
carrot	De wortel	당근
cash	Het contant geld	현금
cashier	De kassier / De caissière	계산원
castle	Het kasteel	성
cathedral	De kathedraal	성당
chair	De stoel	의자
charger	De oplader	충전기
check in	Inchecken / Het inchecken	체크인
check out	Uitchecken / Het uitchecken	체크아웃
checked in bagage	De ingecheckte bagage	위탁 수하물
cheek	De wang	뺨
cheese	De kaas	치즈
chicken meat	Het kippenvlees	닭고기
children	De kinderen	어린이
chin	De kin	턱

China	China	중국
Chinese	het Chinees	중국어
chocolate	De chocolade	초콜릿
church	De kerk	교회
cinema	De bioscoop	영화관
clerk	De winkelbediende	점원
climate	Het klimaat	기후
clothing store	De kledingwinkel	옷가게
cloud	De wolk	구름
coat	De jas	코트
cod	De kabeljauw	대구
coffee	De koffie	커피
coin	De munt	동전
coin wallet	Het muntportemonnee	동전 지갑
colleague	De collega	동료
comb	De kam	빗
comforter	Het dekbed	이불
computer	De computer	컴퓨터
cost	De kosten	가격
couch	De bank / De sofa	소파
couple	Het koppel	부부
cousin	De neef / nicht	사촌(남/녀)

crab	De krab	게
credit card	De creditcard	카드
crosswalk	Het zebrapad	횡단 보도
cucumber	De komkommer	오이
cup	De kop / Het kopje	컵
currency exchange	Het geldwisselkantoor	환전
curtain	Het gordijn	커튼
customer	De klant	손님
customs	De douane	세관
Danish	het Deens	덴마크어
daughter	De dochter	딸
day	De dag	날
December	December	12 월
degree	Het graad	온도
Denmark	Denemarken	덴마크
deodorant	De deodorant	데오드란트
department store	Het warenhuis	백화점
deposit	De storting	입금
dessert	Het dessert / Het nagerecht	후식
dictionary	Het woordenboek	사전
discount	De uitverkoop	할인

dollar	De dollar	달러
domestic flight	De binnenlandse vlucht	국내선
domestic mail	De binnenlandse post	국내우편
door	De deur	문
double room	De tweepersoonskamer	더블룸
dressing room	De paskamer	피팅 룸
duck meat	Het eendenvlees	오리고기
Dutch	het Nederlands	네덜란드어
duty free shop	De belastingvrije winkel	면세점
ear	Het oor	귀
earring	De oorbel	귀걸이
east	de Oost	동쪽
egg	Het ei	달걀
elbow	De elleboog	팔꿈치
electricity	De elektriciteit	전기
elevator	De lift	엘리베이터
e-mail	De e-mail	이메일
England	Engeland	영국
English	het Engels	영어
entrance	De ingang	입구
entrance fee	De toegangsprijs	입장료

envelope	De envelop	봉투
eraser	De gum / De gom	지우개
Euro	De euro	유로
exchange rate	De wisselkoers	환율
exit	De uitgang	출구
eye	Het oog	눈
eye shadow	De oogschaduw	아이섀도
eyeliner	De eyeliner	아이라이너
face	Het gezicht	얼굴
family	De familie	가족
fashion	De mode	패션
father	De vader	아버지
February	Februari	2 월
finger	De vinger	손가락
Finland	Finland	핀란드
Finnish	het Fins	핀란드어
fire station	De brandweerkazerne	소방서
fish	De vis	생선
flight number	Het vluchtnummer	항공편 번호
flood	De overstroming	홍수
floor	De verdieping	층
fog	De mist	안개

foot	De voet	발
forehead	Het voorhoofd	이마
foreign country	Het buitenland	외국
fork	De vork	포크
France	Frankrijk	프랑스
free time	De vrije tijd	자유 시간
French	het Frans	프랑스어
Friday	Vrijdag	금요일
frost	De vorst	서리
fruit	Het fruit	과일
garlic	De knoflook	마늘
German	het Duits	독일어
Germany	Duitsland	독일
gift	Het cadeau	선물
gift shop	De cadeauwinkel	기념품점
girl	Het meisje	소녀
girlfriend	De vriendin	여자 친구
glasses	De bril	안경
gloves	De handschoenen	장갑
glue	De lijm	접착제
grandchild	Het kleinkind	손주
grandfather	De grootvader / De opa	할아버지

grandmother	De grootmoeder / De oma	할머니
grape	De druif	포도
gray	Grijs	회색
green	Groen	녹색
guidebook	De reisgids	가이드북
hair	Het haar	머리카락
hair dryer	De haardroger	헤어 드라이어
ham	De ham	햄
hand	De hand	손
hand luggage	De handbagage	기내 수하물
handbag	De handtas	핸드백
handkerchief	De zakdoek	손수건
hat	De hoed	모자
head	Het hoofd	머리
headphones	De koptelefoon	헤드폰
herring	De haring	청어
honeymoon	De huwelijksreis	신혼 여행
hospital	Het ziekenhuis	병원
hostel	Het hostel	호스텔
hotel	Het hotel	호텔
house	Het huis	집
humidity	De luchtvochtigheid	습도

hurricane	De orkaan	허리케인
husband	De echtgenoot	남편
ice cream	Het ijs	아이스크림
infant	De baby	유아
interest	De rente	이자
international flight	De internationale vlucht	국제선
international mail	De internationale post	국제우편
Internet cafe	Het internetcafé	PC 방
Italian	het Italiaans	이탈리아어
Italy	Italië	이탈리아
itinerary	Het reisplan	일정표
jacket	Het jasje	재킷
jam	De jam	잼
January	Januari	1 월
Japan	Japan	일본
Japanese	het Japans	일본어
jeans	De spijkerbroek	청바지
journal	Het tijdschrift / Het journaal	잡지
juice	Het sap	주스
July	Juli	7 월
June	Juni	6 월
key	De sleutel	열쇠

kiosk	De kiosk	키오스크
kitchen	De keuken	부엌
knee	De knie	무릎
knife	Het mes	나이프
Korea	Korea	한국
Korean	het Koreaans	한국어
lamb	Het lamsvlees	양고기
lamp	De lamp	램프
laptop	De laptop	랩탑
lemon	De citroen	레몬
lemonade	De limonade	레모네이드
library	De bibliotheek	도서관
lightning	De bliksem	번개
lipstick	De lipstick	립스틱
living room	De woonkamer	거실
lost and found	Het gevonden voorwerpen	분실물 사무소
mailbox	De brievenbus	우편함
main course	Het hoofdgerecht	메인 코스
makeup	De make-up	화장
man	De man	남자
map	De kaart	지도
March	Maart	3 월

mashed potatoes	De aardappelpuree	으깬 감자
massage	De massage	마사지
May	Mei	5 월
meat	Het vlees	고기
melon	De meloen	멜론
memory card	De geheugenkaart	메모리카드
menu	Het menu	메뉴
Mexico	Mexico	멕시코
milk	De melk	우유
minute	De minuut	분
mirror	De spiegel	거울
miss	De juffrouw	미스
mister	De meneer	미스터
Monday	Maandag	월요일
money	Het geld	돈
month	De maand	달
mother	De moeder	어머니
mouth	De mond	입
museum	Het museum	박물관
mushroom	De champignon	버섯
nail polish	De nagellak	매니큐어 액

napkin	Het servet	냅킨
nationality	De nationaliteit	국적
neck	De nek	목
necklace	De ketting	목걸이
neighbour	De buurman / buurvrouw	이웃(남/녀)
Netherlands	the Nederlands	네덜란드
newspaper	De krant	신문
north	de Noord	북쪽
Norway	Noorwegen	노르웨이
Norwegian	het Noors	노르웨이어
nose	De neus	코
November	November	11 월
October	Oktober	10 월
olives	De olijven	올리브
omelette	De omelet	오믈렛
oneway ticket	Het enkeltje / Het enkele ticket	편도표
onion	De ui	양파
opening hour	Het openingsuur	영업 시간
orange	Oranje	주황색
orange	De sinaasappel	오렌지
oven	De oven	오븐
package	Het pakket	소포

palace	Het paleis	궁전
pancake	De pannenkoek	팬케이크
pants	De broek	바지
paper	Het papier	종이
parents	De ouders	부모님
park	Het park	공원
passenger	De passagier	승객
passport	Het paspoort	여권
password	Het wachtwoord	비밀 번호
pea	De erwt	완두콩
peach	De perzik	복숭아
pear	De peer	배
pen	De pen	펜
pencil	Het potlood	연필
pepper	De peper	후추
perfume	Het parfum	향수
person	De persoon	사람
pharmacy	De apotheek	약국
phone	De telefoon	전화
photo	De foto	사진
pillow	Het kussen	베개
pineapple	De ananas	파인애플

pink	Roze	분홍색
pizza	De pizza	피자
plane ticket	Het vliegticket	비행기 표
police station	Het politiebureau	경찰서
pork	Het varkensvlees	돼지고기
port	De haven	항구
porter	De portier	포터
post office	Het postkantoor	우체국
postage	De portokosten / Het porto	우편 요금
postcard	De ansichtkaart	엽서
potato	De aardappel	감자
printer	De printer	프린터
purple	Paars	보라색
quality	De kwaliteit	품질
queue	De rij / De wachtrij	차례, 줄
rain	De regen	비
rainbow	De regenboog	무지개
raincoat	De regenjas	우비
receipt	De bon	영수증
receiver	De ontvanger	수신인
reception	De receptie	리셉션
red	Rood	빨강색

reflector	De reflector	반사체
refrigerator	De koelkast	냉장고
refund	De terugbetaling	환불
reindeer meat	Het rendiervlees	순록고기
relative	De verwant	친척
reservation	De reservering	예약
restaurant	Het restaurant	식당
rice	De rijst	쌀
room	De kamer	방
room service	De roomservice	룸 서비스
round-trip ticket	Het retourticket / De retour	왕복표
salad	De salade	샐러드
salmon	De zalm	연어
salt	Het zout	소금
Saturday	Zaterdag	토요일
sauce	De saus	소스
sauna	De sauna	사우나
sausage	De worst	소세지
school	De school	학교
scissor	De schaar	가위
seat belt	De veiligheidsgordel	안전 벨트

second	De seconde	초
sender	De afzender	발신인
September	September	9 월
shampoo	De shampoo	샴푸
shawl	De sjaal	스카프
shirt	Het shirt	셔츠
shoe store	De schoenenwinkel	신발가게
shoes	De schoenen	신발
shopping center	Het winkelcentrum	쇼핑몰
shopping street	De winkelstraat	쇼핑 거리
shoulder	De schouder	어깨
shower	De douche	샤워
shrimp	De garnaal	새우
sidewalk	Het voetpad / De stoep	보도
sightseeing	Het toerisme	관광
SIM card	De simkaart	심카드
single room	De eenpersoonskamer	싱글룸
sister	De zus	자매
size	De maat	사이즈
skin	De huid	피부
skirt	De rok	스커트
sleet	De ijzel	진눈깨비

smart phone	De smartphone	스마트폰
snow	De sneeuw	눈
snowstorm	De sneeuwstorm	눈보라
soap	De zeep	비누
socket	Het stopcontact	콘센트
socks	De sokken	양말
sold out	Uitverkocht	매진
son	De zoon	아들
soup	De soep	수프
south	de Zuid	남쪽
Spain	Spanje	스페인
Spanish	het Spaans	스페인어
spoon	De lepel	스푼
spring	De lente	봄
stamp	De postzegel	우표
starter	Het voorgerecht	애피타이저
station	Het station	정류장
steak	De biefstuk / De steak	스테이크
stomach	De maag / De buik	배
stopover	De tussenlanding	스탑 오버
store	De winkel	상점
storm	De storm	폭풍

strawberry	De aardbei	딸기
subway	De metro	지하철
sugar	De suiker	설탕
summer	De zomer	여름
sun	De zon	해
Sunday	Zondag	일요일
sunglasses	De zonnebril	선글라스
sunscreen	De zonnebrandcrème	선 블록
supermarket	De supermarkt	슈퍼마켓
Sweden	Zweden	스웨덴
Swedish	het Zweeds	스웨덴어
swimming pool	Het zwembad	수영장
swimsuit	Het badpak	수영복
Switzerland	Zwitserland	스위스
table	De tafel	탁자
tablet pc	De tablet	태블릿 pc
tape	Het plakband / De tape	테이프
tax	De belasting	세금
taxi	De taxi	택시
tea	De thee	차
teeth	De tanden	치아
temperature	De temperatuur	기온

text message	Het sms'je / Het tekstbericht	문자 메시지
the day after tomorrow	Overmorgen	모레
the day before yesterday	Eergisteren	그저께
theater	Het theater	극장
thigh	De dij	허벅지
throat	De keel	목구멍
thunder	De donder	천둥
Thursday	Donderdag	목요일
ticket	Het ticket	입장권
tie	De stropdas	넥타이
time	De tijd	시간
timetable	De dienstregeling	시간표
today	Vandaag	오늘
toe	De teen	발가락
toilet	Het toilet	화장실
tomato	De tomaat	토마토
tomorrow	Morgen	내일
toothbrush	De tandenborstel	칫솔
toothpaste	De tandpasta	치약
tourist	De toerist	관광객
tourist office	Het VVV-kantoor / Het toeristenbureau	관광 안내소

towel	De handdoek	수건
town hall	Het stadhuis	시청
tracking number	Het volgnummer	배송조회번호
traffic	Het verkeer	교통
traffic light	Het verkeerslicht	교통 신호
train	De trein	기차
train station	Het treinstation	기차역
tram	De tram	트램
traveler's checks	De reischeques	여행자 수표
trip	De reis	여행
trout	De forel	송어
Tuesday	Dinsdag	화요일
tuna	De tonijn	참치
TV	De televisie / De TV	텔레비전
twin	De tweeling	쌍둥이
uncle	De oom	삼촌
underwear	Het ondergoed	속옷
university	De universiteit	대학
vegetables	De groenten	채소
vest	Het vest	조끼
visa	Het visum	사증, 비자

waiter	De ober	웨이터
wallet	De portemonnee	지갑
wardrobe	De kledingkast	장롱
washing machine	De wasmachine	세탁기
water	Het water	물
watermelon	De watermeloen	수박
way	De weg	길
weather	Het weer	날씨
weather forecast	De weersvoorspelling	일기 예보
website	De website	웹 사이트
Wednesday	Woensdag	수요일
week	De week	주
weekday	De weekdag	평일
weekend	Het weekend	주말
west	de West	서쪽
white	Wit	흰색
wife	De echtgenote	아내
wifi	De wifi	인터넷
wind	De wind	바람
window	Het raam	창
wine	De wijn	와인
winter	De winter	겨울

woman	De vrouw	여자
wrist	De pols	손목
wristwatch	Het polshorloge	손목시계
year	Het jaar	년
yellow	Geel	노란색
yesterday	Gisteren	어제
yoghurt	De yoghurt	요구르트
ZIP code	De postcode	우편 번호
zoo	De dierentuin	동물원